S0-BJT-796

눈먼 사랑

최인호 장편소설

영혼의 새벽 2

펴낸날/ 2002년 7월 24일

지은이/ 최인호
펴낸이/ 채호기
펴낸곳/ (주)문학과지성사
등록번호/ 제10-918호(1993. 12. 16)

서울 마포구 서교동 363-12호 무원빌딩(121-838)
편집/ 338)7224~5 FAX 323)4180
영업/ 338)7222~3 FAX 338)7221
홈페이지/ www.moonji.com

ⓒ 최인호, 2002. Printed in Seoul, Korea
ISBN 89-320-1349-7
ISBN 89-320-1347-0(전2권)

값 7,000원

＊이 책의 판권은 지은이와 문학과지성사에 있습니다.
  양측의 서면 동의 없는 무단 전재 및 복제를 금합니다.
＊잘못된 책은 바꾸어드립니다.

영혼의 새벽

2

최인호 장편소설

문학과지성사
2002

차례

1권

2권

제5장 가면무도회

1

　여의도로 들어가는 간선 도로는 완전히 막혀 있었다. 그는 처음에 교통사고가 나거나 아니면 국회의사당 앞 광장에서 시위 행렬이 길을 차단하고 있는 것이 아닐까 하고 생각하였으나 점점 여의도로 들어갈수록 길이 막히는 이유가 다름아닌 벚꽃축제 때문임을 알 수 있었다.

　원래 여의도는 한강에 있던 섬이었고, 그 섬의 둘레를 따라서 둑을 쌓아 제방을 만들었는데 그 제방에는 마침 벚꽃이 만발하고 있었던 것이다. 윤중제(輪中堤)를 따라서 벚꽃나무들이 흰 띠를 형성하고 있었다. 1년에 단 며칠 동안 만발한 벚꽃을 구경하기 위해서, 그것도 마침 오늘이 주말이었으므로 한꺼번에 인파가 몰려들어 여의도로 들어가는 간선 도로는 완전히 막혀 있었다.

　벚꽃들은 내부에서 촛불을 밝혀서 꽃잎마다 촉광(燭光)을 켠 듯 한결같이 하얗게 빛나고 있었다. 한꺼번에 함박눈이라도 맞은 모습이었다. 밤이 깊을수록 어둠과 대비된 눈부신 벚꽃의 광휘가 마침 둑을 따라 형성된 가로등의 불빛 속에서 불꽃놀이를 하듯 폭발하고 있었다. 이따금 짓궂은 봄바람이 불어올 때면 어지러이

흩어지는 낙화는 마치 한겨울에 내리는 싸락눈과 같았다.

둑을 따라서 봄나들이를 나온 상춘객들을 위해 간이 매점 같은 것들이 형성되어 있었고 사람들은 그곳에서 식사를 하거나 술을 마시고 있었다. 밀려드는 사람들을 정리하기 위해서 교통 순경들의 호루라기 소리가 여기저기서 들려오고 있었다.

그는 시계를 들여다보았다.

아직 30분 정도 시간이 남아 있었지만 아무래도 시간 안에 도착하지는 못할 것 같았다. 국회의사당 옆의 의원회관이 그가 찾아가는 목적지였다. 이미 간선 도로에 접어들었을 때부터 삿갓을 뒤집어쓴 것 같은 거대한 국회의사당의 건물이 보여서 엎어져도 코가 닿을 듯한 짧은 거리였지만 아무래도 혼잡한 도로 사정 때문에 시간 안에 도착하지는 못할 것만 같았다.

닷새 전 그는 한 장의 초청장을 받았다. 편지 겉봉에는 '국회의원 한경환'의 이름이 인쇄되어 있었다. 대학 시절 경환이와는 절친한 친구 사이였지만 사회에 나온 이후로는 서로 가는 길이 달랐으므로 1년에 한 번 정도 만나는 것이 고작이었다. 그런 경환이로부터 편지가 왔으므로 궁금해하며 그는 겉봉을 뜯었는데 안에서 나온 것은 초청장이었다. 그 내용은 다음과 같았다.

'차세대를 이끌어갈 선두 주자 국회의원 한경환 후원회의 밤을 개최합니다.'

그리고 날짜와 장소가 인쇄되어 있었는데 날짜는 토요일 7시였고, 장소는 국회의사당 옆의 '의원회관 내'라는 안내와 함께 간단한 약도가 그려져 있었다.

7시까지는 아직도 30분 정도 남아 있었다.

그는 운전대를 잡고서 간신히 차가 한 대씩 빠져나갈 때마다 조금씩 차를 움직이면서 국회의사당으로 올라가는 간선 도로를 따라가고 있었다.

그는 잘 알고 있었다.

국회의원들을 위한 후원회라는 것은 결국 정치 자금을 합법적으로 모금하기 위한 일종의 사교 파티라는 것을. 원래 국회의원을 비롯한 정치가들은 음성적으로는 정치 자금을 받지 못하게 되어 있다. 정치는 필연적으로 돈이 필요하게 되어 있고 따라서 돈을 모으기 위해 경제와 밀착하거나 검은 돈의 뇌물을 받게 되면 언젠가는 탄로가 나서 정치 생명이 끝나게 되는 것이다. 그러므로 국회의원들은 1년에 한 번 정도 후원회의 밤을 개최하는 것이다. 자신의 후원자에게 초청장을 뿌리고 찾아오는 사람들에게 합법적으로 후원금을 걷어들이는 것이다. 한경환도 마찬가지로 합법적으로 정치 자금을 모금하기 위해서 마침내 후원회의 밤을 개최하게 된 것이다.

3년 전 경환이는 국회의원이 되었다. 그는 대학 시절의 학생 운동 경력으로 야당의 중진 의원 보좌관으로 수년을 보냈었다. 말이 정책 보좌관이지 실은 개인 비서에 지나지 않았다. 그러던 경환은 3년 전 그 중진 의원의 추천으로 야당의 공천을 받았는데, 그가 출마한 곳은 그의 고향이었다. 아무도 경환이가 당선되리라는 것은 상상조차 하지 못하였다. 왜냐하면 그의 고향은 제 3의 야당이었던 J당의 텃밭이었고, 그곳에서는 거물 정치인이 계속해서 3선에 성공하였던 것이므로 정치적으로는 무명에 가까운 신인이 거물 정치인을 물리치고 당선되리라는 것은 아무도 상상치 못했던 것이다.

그러나 결과는 뜻밖의 사실로 나타났다. 한경환이 근소한 차이로 3선의 거물 정치인을 물리치고 그의 고향 P시에서 당선되었다. 경환의 승리는 지난 선거 중에서 가장 이변에 속하는 격전지 중의 하나였다. 매스컴들은 이 싸움을 '다윗과 골리앗'의 싸움이라고 평가하였으며, 거인 골리앗을 돌팔매질 한 번으로 쓰러뜨린 한경환은 매스컴의 각광을 받고 '다윗'이 되었다. 이로써 한경한은 미래 정치의 선두 주자로 인정받게 되었으며, 지난 수년 동안 의정 활동도 눈부셔서 각종 시민 단체 같은 곳에서 시행한 의원 평가 점수에서도 항상 1, 2등을 다투고 있었다.

그뿐이 아니었다.

경환이가 출마할 때는 야당이었던 B당이 대통령을 선거하는 총선에서 승리하여 여당으로 변신할 수 있었다. 그러므로 경환은 야당의 투사에서 하루아침에 장래를 보장받는 차세대 리더의 중심에 서게 되었던 것이다.

차는 간신히 국회의사당으로 접어들어 로터리로 빠져들었다. 밤 벚꽃 구경을 나온 사람들은 꽃 구경보다는 술을 마시고 음식을 먹는 일에 더욱 열중하고 있는 것일까. 도로는 온통 사람들로 미어지고 있었고, 교통은 한층 복잡하였다. 여기저기서 술 취한 사람들이 비틀거리며 싸우고 있는 모습들이 보였다. 벚꽃놀이를 빙자하여 한철 대목을 노리는 장사꾼들과 정신없이 먹고 마시는 사람들의 무질서로 인해서 여의도 일대는 난장판을 이루고 있었다.

겨우 신호를 받아 그는 의사당이 있는 방향으로 좌회전을 하였다. 아직도 7시까지는 10여 분이 남아 있어 잘하면 제시간 안에 도착할 수 있을 것 같았다.

멀리 국회의사당이 보이는 철책 너머로도 벚꽃이 흐드러지게 피어 있었다. 그는 의원회관으로 가기 위해서는 어느 쪽에서 유턴을 해야 하는지 방향을 알 수 없었다. 다행히 국회의사당을 지키는 전투경찰들의 모습이 도로 위에서 보였다. 그는 차를 세우고 물어보았다.

"의원회관으로 가려면 어디로 가야 합니까?"

그러자 전투경찰은 무표정한 얼굴로 대답하였다.

"이곳은 정문이고요. 조금 더 내려가시다 보면 왼편으로 작은 쪽문이 있습니다. 그곳으로 들어가시면 끝에 의원회관이 있습니다."

전투경찰의 말은 사실이었다. 신호등을 따라 직진하다 보니 의사당 쪽으로 작은 쪽문이 나 있었다. 그는 차의 방향을 바꾸어서 그 문 안으로 들어갔다. 문 안에는 정장을 한 사내가 서 있다가 들어오는 그의 차를 막아 세우며 물어 말하였다.

"어떻게 오셨습니까?"

"한경환 국회의원 후원회의 밤에 참석하려고 왔습니다."

"아, 그렇습니까."

비서로 보이는 사내는 상냥하게 웃으며 말하였다.

"곧장 들어가십시오. 그러면 안내 표시가 나올 것입니다."

그는 시키는 대로 곧장 나아갔다. 눈부신 벚꽃들이 등롱(燈籠)처럼 길을 밝히고 있었다.

어둠 속에서 거대한 국회의사당 건물이 조명을 받고 우뚝 서 있었다. 입법부. 법을 만들고, 법을 집행하고, 법을 고치는 민의(民意)의 대변인들인 국회의원들이 모여서 의사를 결정하는 곳.

국회의사당을 보는 순간 그는 문득 대학 시절 외우던 김수영(金洙暎)의 시 한 구절이 떠올랐다.

'아아 비겁한 민주주의여 안심하라.

우리는 지금 정치 얘기를 하고 있었던 것은 아니야.'

순간 그는 그 시 구절이 바로 지금 찾아가는 한경환에게 얻어 들었던 시의 한 구절이었음을 떠올렸다. 술이 취하면 한경환은 소리를 지르며 김수영의 시를 외우곤 했었다.

"왜 나는 조그만 일에만 분개하는가

저 왕궁(王宮) 대신에 왕궁의 음탕 대신에

50원짜리 갈비가 기름 덩어리만 나왔다고 분개하고

옹졸하게 분개하고

설렁탕집 돼지 같은 주인년에게 욕을 하고

옹졸하게 욕을 하고

한번 정정당당하게 붙잡혀간 소설가를 위해서

언론의 자유를 요구하고 월남 파병에 반대하는 싸움을 전개하지도 못하고

20원을 받으러 세 번씩 네 번씩 찾아오는 야경꾼들만 증오하고 있는가."

그러고 나서 한경환은 주먹을 쥐고 항상 이렇게 부르짖곤 했었다.

"아아 비겁한 민주주의여 안심하라. 안심해. 우리는 지금 정치 얘기를 하고 있는 것은 아니니까."

국회의원 한경환의 민주주의는 어떻게 변하였을까. 거대한 국회의사당의 건물을 쳐다보며 그는 문득 생각하였다. 과연 그의 비겁했던 민주주의는 15년이 지난 지금 당당한 민주주의로 진보해 있는 것일까.

비겁한 민주주의를 질타하던 운동권 학생 한경환은 15년이 흐른 지금 그토록 자기가 질타하던 정치권의 국회의원이 되어 있는 것이다. 과연 15년이 흐른 지금 그의 비겁한 민주주의는 당당한 민주주의로 진보해 있는 것일까.

신사복을 입고 손에 흰 장갑을 낀 안내원들이 그의 차를 막아 세웠다. 주차장은 이미 세울 자리가 없을 정도로 만원을 이루고 있었다. 간신히 빈자리를 발견한 후 그는 서둘러 그 자리에 차를 세웠다. 시간은 정확히 7시를 가리키고 있었다. 그는 빠른 걸음으로 주차장의 계단을 내려가 의원회관으로 다가갔다.

'국회의원 한경환의 후원회'

회관 정문에는 플래카드가 세워져 있었고 사방에서 몰려든 승용차와 인파들로 혼잡하였다. 그는 문득 생각하였다. 경환이가 처음에 국회의원에 당선되었을 때만 해도 그는 야당 의원이었다. 그러나 그가 몸담고 있는 B당은 총선에서 승리하여 하루아침에 여당으로 변신하였다. 만약 경환의 B당이 아직까지도 야당이었다면 이처럼 많은 인파들이 후원회 파티에 참석할 수 있었을 것인가.

한눈에 보아도 고급 승용차를 탄 사람들이었다. 그 사람들에 비하면 그는 잠바 차림의 초라한 복장이었다. 신사복에 넥타이를 매려 하였지만 집에 들러 옷을 갈아입을 시간이 없었다. 그는 순간 생각하였다. 그는 주머니 속에 5만 원이 들어 있는 봉투를 준비하고 있었다. 그는 부끄러웠다. 정치 자금을 합법적으로 모집하기 위한 후원회라면 그리고 그 파티에 참석한 사람들이라면 차세대 정치의 리더인 한경환의 정치적 미래를 한껏 축하해주기 위해서 아낌없이 거액을 희사할 것이다. 적게는 몇십만 원에서 많게는 몇백만 원에 이르기까지. 아니다. 정치와 이해관계가 있는 경제인들이라면 합법적으로 로비를 할 수 있는 이 절호의 찬스를 놓칠 수 있겠는가. 어쩌면 몇천만 원의 거액이 흰 봉투 속에 넣어져 한경환에게 전해질지도 모른다. 그러한 거금의 봉투 속에서 5만 원의 봉투는 거대한 강물 속에 집어넣는 하나의 돌팔매질에 불과할 것이다.

중앙 홀 안으로 들어서자 곳곳에서 보내온 화환들로 화려한 꽃밭의 정원과도 같았다. 모여든 사람들을 접수하기 위해서 따로 안내대가 마련되어 있었다. 사람들이 한꺼번에 몰려들었으므로 방명록에 이름을 사인하는 데도 순서를 기다려야 할 정도였다.

그는 차례를 기다려 방명록에 자신의 이름을 서명하였다. 그리고 준비해온 봉투를 책상 앞에 앉아 있는 여인에게 내밀었다.

"고맙습니다."

여인은 일어서서 그에게 고개 숙여 인사하였다. 한경환은 로비 중앙에 서서 찾아온 하객들을 접견하고 있었다. 그의 옆에는 한복을 입은 여인이 서 있었다. 아마도 경환의 부인인 모양이었다. 그는 경환의 아내인 정인숙에 대해서는 잘 알지 못했다. 그는 경환이야말로 장미정과 결혼할 것을 굳게 믿고 있었으므로 경환이가 미정이와 헤어졌다는 말을 그의 입을 통해서 직접 전해 들은 순간 무척 놀랐었다.

경환의 아내 인숙은 미정과 헤어지고 난 후 경환이가 만난 새 애인이었다. 경환과 한 살 터울 동갑내기였던 미정과는 달리 경환이보다 네댓 살 어린 여인이었다. 대학 시절 연극 활동을 하였던 성격답게 활달하고 자기 주장이 강한 여인이었다. 경환을 선생님, 선생님 하고 부르고 있었는데 나중에 알고 보니 대학 시절 경환이가 가정교사를 하던 주인집 딸이었기 때문이었다. 경환이가 아르바이트를 하던 집을 따라가본 적이 있었다. 성북동에 있던 고급 주택이었는데 경환이는 이 집을 '구중궁궐'이라고 부르고 그 주인집을 '졸부의 집'이라고 빈정대고 있었다. 한마디로 땅 투기로 돈을 번, 머리가 텅 빈 졸부의 집이라는 것이다. 명동 어딘가에서 음식점을 크게 하고 있어 아침저녁으로 갈비가 실컷 나와 고기는 신물이 나도록 먹을 수 있는, 모파상의 소설 제목인 '비곗덩어리'의 집이라는 것이었다. 경환이는 그 졸부의 집에서 태어난 자신이 가르치던 비곗덩어리 여인과 결혼식을 올린 것이다. 그 여인이 지금 경환의 옆에 서서 한복을 입고 손님을 맞고 있는 정인숙인 것이다.

사람들은 줄지어 서서 한 사람씩 경환이와 악수를 나누고 몇 마디의 인사를 나누고 있었다. 차례를 기다리는 동안 그는 회관 로비에 걸려 있는 역대 국회의장의 초상화를 쳐다보았다. 역사의 부침을 따라 때로는 영광의 초상으로, 때로는 굴욕의 초상으로 얼룩진 국회의장들의 초상화를 쳐다보면서 그는 문득 칼라일의 말을 떠올린다.

칼라일은 『의상 철학』이라는 책 속에서 "우리의 육체는 영혼이 입은 하나의 의상이며, 자연은 신이 의상을 갈아입는 일이며, 죽음은 영혼이 자신의 의상을 벗어버리는 일"이라고 말하고 있다. 그러므로 인간이 만들어내는 역사, 사상, 이데올로기 등은 이 의상에 붙어 있는 단추처럼 있지도 않은 '가공의 존재'라고 말하고 있는 것이다. 그렇다면 저 의원회관 벽에 붙어 있는 역대 국회의장의 초상화야말로 칼라일이 말하였던 의상에 붙어 있는 단추에 불과한 것일까.

마침내 차례가 되어 그는 경환의 앞에 섰다.

"아니 이게 누구야. 성규 아니야."

경환은 그의 얼굴을 보자 큰소리로 말하였다.

"오랜만이다."

두 사람은 서로 악수를 나누었다.

"이 자식 여전하구나. 전혀 변함이 없어."

"넌 살이 좀 쪄 보인다."

경환이는 전에 보았을 때보다 다소 살이 쪄 보였다. 단정하게 머리를 빗고 살이 쪄 보였으므로 나이보다 훨씬 노숙하게 보이고 있었다.

"중년 살이 쪘지 뭐냐. 넌 어떠냐."

"나야 뭐 그렇지. 매일매일의 반복이지. 아침에 일어나서 눈 뜨면 학교 가고 학교 가서 아이들 가르치고."

"여보."

경환은 옆에 서 있는 자신의 아내를 보며 말하였다.

"내 친구 성규 알지. 최성규. 대학 시절 가장 친했던 내 죽마고우."

"아, 안녕하세요."

활달한 평소의 성격답게 그녀는 큰 소리로 인사를 하였다. 경환은 앞에 서 있는 남자애를 가리키며 말하였다.

"이놈이 내 아들이야. 지금 초등학교 3학년이고, 이름은 한인철이야. 인사드려라. 아빠하고 가장 친한 친구란다."

"안녕하세요."

어린아이답지 않게 정장을 하고 넥타이까지 맨 소년이 그에게 깍듯하게 인사를 했다.

"성규야, 금방 가지 말어. 2층에서 간단하게 식사가 있으니까. 그때 만나자. 절대로 먼저 가지 말어."

아무래도 줄지어 서 있는 사람들이 의식되었기 때문인지 서둘러 인사를 끝내며 그를 떠나보내면서 경환은 다짐을 하였다.

"먼저 가면 죽여버릴 테야."

그는 알았다는 표시로 고개를 끄덕이고 강당 안으로 들어섰다. 강당 안은 생각보다 드문드문 비어 있었다. 아마도 대부분의 하객들은 참석한 후 봉투를 내밀고 눈인사만 나누고는 그대로 돌아가는 모양이었다. 그는 빈자리에 앉았다. 강당 앞 무대 위에는 스크린이 마련되어 있었고 그 거대한 스크린 위에는 활짝 웃고 있는 경환의 대형 사진이 비치고 있었다.

그는 주위를 살펴보았다. 텔레비전에서 뉴스 시간에 보이는 낯익은 정치가의 모습들이 여기저기서 눈에 띄었다.

그때였다.

그 낯익은 사람들 속에서 그의 눈을 강하게 끄는 모습이 하나 있었다. 그는 무심코 그 모습을 쳐다보았다. 그 순간 그는 가슴이 멎는 것 같은 충격을 느꼈다. 그가 앉아 있는 곳에서부터 불과 대여섯 개의 좌석만큼 떨어진 가까운 곳에 S. 아니다. 이제 그를 사탄의 약자인 S로 불러서는 안 된다. 그의 이름은 신영철.

그가 나가고 있는 K성당의 사목회장인 가브리엘. 바로 그 사람이 앉아 있는 것이 아닌가.

그는 자신이 잘못 본 것이 아닐까, 다시 한 번 그 사람을 확인하여보았다. 그러나 그 사람은 틀림없는 가브리엘 신영철. 바로 그 사람이었다. 전혀 뜻밖의 곳에서 그를 또다시 만나게 된 것이다.

2

그는 좌석에 앉아서 지난 한 달 동안 자신의 인생 속에 운명처럼 다가온 S의 존재를 새삼스럽게 되새겨보았다.

이제 일주일 후인 토요일이 부활절 전야였고 새로 이사 온 성당에서의 사순절 시작 그 첫날 미사에서 S를 15년 만에 다시 만났으므로 정확히 따지고 보면 S를 만난 것은 사순절 기간 중인 40일에서 일주일을 뺀 정확히 33일뿐이었던 것이다.

그러나 그 한 달 조금 지난 짧은 기간이야말로 그에게 있어서는 지옥이었고 악몽이었다.

그런데 S.

자신의 지난 한 달 이상의 사순절 기간을 악몽과 고통의 늪 속에 빠뜨린 사탄 S를 그는 또다시 새로운 국회의원으로 변신한 한경환의 후원회 파티에서 만나게 된 것이다.

어떻게 이런 일이 일어날 수 있는 것인가.

그는 분노에 가득 차서 중얼거렸다.

나는 그를 증오한다.

그는 좌석 건너편에 앉아 있는 S의 모습을 쳐다보면서 끓어오르는 분노의 감정을 억제할 수 없었다.

나는 그를 단죄하고 싶다. 직접 내 손으로. 그의 죄를 묻고 그의 죄를 고백하게 한 다음 그를 직접 내 손으로 고문하고, 그를 죽이고 싶다. 그는 S에 대해 살의까지도 품고 있었다. 왜냐하면 S는 그를 이미 죽였으므로.

S는 여기저기에 아는 사람들이 많이 있었는지 사람들과 시선이 마주칠 때마다 좌석에서 일어나서 큰 소리로 인사를 하고 웃으며 악수를 나누고 있었다.

그는 문득 이 순간 품속에 권총 한 자루가 있었으면 하는 생각을 하였다. 카뮈의 소설 『이방인』에서 주인공 뫼르소는 단지 한낮에 태양이 눈부시고 짜증난다고 해서 바닷가의 모래사장에서 권총으로 아랍인을 살해한다. 그러나 나는 아니다. 햇빛이 눈부시다는 이유 하나만으로 사람을 죽이는 소설의 주인공은 지나치게 과장됐으며 지나치게 현학적이다. 나는 S를 죽이고 싶다. 내겐 그를 죽일 만한 충분한 이유가 있다. 사람들이 많이 모인 광장에서 S의 곁으로 바짝 다가가 그의 등 뒤에 서서 총을 쏘고 놀란 사람들 사이로 유유히 사라지고 싶다. 지금 여기에서라도 많은 사람들과 악수를 하고 인사를 나누고 있는 S를 향해 방아쇠를 잡아당겨 살인을 하고 피를 흘리고 쓰러지는 그의 머리를 향해 다시 한 번 확인 사살의 방아쇠를 당긴 다음 권총을 버리고 유유히 사라지고 싶다.

이 순간적인 상상은 그를 흥분시켰다. 그는 두근거리는 심장의 고동을 느꼈다. 그는 떨리는 손으로 손수건을 꺼내 이마에서 흐르는 땀을 씻어내렸다.

어느덧 행사는 시작되었고 국회의원 한경환을 돕는 후원회장의 인사말이 있은 후 곧 불이 꺼지고 자동으로 설치된 스크린에서는 지난 3년 동안 눈부시게 의정 활동을 한 한경환의 활약상이 방영되기 시작하였다.

각종 시민 단체에서 실시한 평가에서 항상 1, 2위를 다투는 그의 의정 활동을 다큐멘터리 기법으로 기록한 영상 필름은 실로 획기적인 것이었다. 학생 운동을 통해 반독재와 반민주 투쟁에 몸담았던 한경환은 이번에는 정치에 투신하여 정치 개혁에 앞장서서 거물 정치인을 쓰러뜨리고 차세대 정치의 선두 주자로 자리매김하게 된 것이다. 그런 모습들이 때론 흑백 사진으로 때로는 기록 필름으로 편집되어 비록 초선이지만 무한한 성장 가능성을 갖고 있는 '인간 한경환'의 매력을 10여 분의 짧은 필름 속에 충분하게 표현하고 있었다.

영화가 끝나자 자동적으로 스크린은 사라져버리고 꺼졌던 불이 켜졌다. 동시에 우렁찬 팡파르가 울리고 레이저 광선이 번쩍이며 연단 위를 비췄다. 휘황한 조명과 함께 한경환이 무대 위로 나타났다. 무대 밑면에는 자욱한 안개가 깔리고 무지개빛 물방

울이 한꺼번에 흩날리고 있었다. 얼핏 보면 정치가를 위한 후원회 파티가 아니라 유명 가수의 쇼 무대나 패션쇼의 무대를 연상시키는 장면이었다.

한경환은 자신의 후원회를 위해 참석해준 내빈들에게 간단하게 인사를 하고 이어 자신의 아내와 아이를 무대 위로 끌어들여 가족을 소개하였다. 그러자 좌석에 앉아 있던 사람들이 일제히 '한·경·환'을 연호하기 시작하였다. 한경환, 한경환을 외칠 때마다 박수 소리도 함께 쏟아지고 함성도 함께 터지고 있었다. 소위 386이라는 신세대의 정치가다운 화려한 정치 무대였던 것이다.

그 순간 그는 S가 앉아 있는 좌석을 쳐다보았다.

S는 자리에 앉아서 손을 들어 허공을 찌르며 큰 소리로 '한경환, 한경환'을 외치고 있었다.

그는 격렬한 증오심과 함께 또 한 번의 살의를 느꼈다. 아니다. 총이 아니다. 지금 이 순간 내가 날카로운 비수를 한 자루 갖고 있다면 달려들어 S의 가슴을 찔러 그를 살해할 것이다.

도대체 무엇인가.

S는 한때 그토록 체포하고 싶어서 혈안이 되어 있던 한경환의 정치 자금 모금 파티에 참석하고 있다. 오래전 한경환은 재야 운동의 운동권 학생이었고 S는 경환이를 체포하기 위해서 고문을 마다하지 않았던 수사 기관의 고문 기술자였다.

"나는 너희와 같은 빨갱이들을 잡아먹는 저승사자다."

S는 그렇게 말하였었다. 한경환을 체포하기 위해서 그들은 나를 체포하고 경환의 애인이었던 장미정도 체포하였다. 그러나 끝내 한경환은 수사망을 피해 체포되지 않았고 이제는 입장이 바뀌어 한경환은 촉망받는 국회의원이 되었다. S 또한 수사 기관에서 은퇴하여 한경환으로부터 초대를 받을 만큼 그리하여 정치 자금을 후원할 만큼 유명 인사가 되었다.

그렇다면 나는 무엇인가.

그는 몸이 떨리는 적개심을 느꼈다.

그렇다면 나는 무엇인가. 한때의 반체제 인사 한경환은 그를 그토록 타도하려던 제도권 체제의 중심이 되었고, 한때 그처럼 반체제를 뿌리 뽑으려던 수사 기관의 고문 기술자 신영철은 그를 향해 박수를 치고 있는 동지가 되었다. 한때의 적들이 달콤한 밀월의 동침을 하고 있는 것이다. 그렇다면 나는 무엇인가.

반체제든 체제든 전혀 상관이 없던 나. 굳이 말한다면 반(反)체제가 아니라 비(非)체제의 평범한 학생이었던 나는 그 누구에게도 하소연할 수 없는 처참한 폭력과 고문의 희생자로서 여전히 악몽의 덫 속에 갇혀 있는 것이다. 그뿐인가. 유일한 희망이었던 신앙. 가톨릭의 진리마저도 한낮에는 고문을 자행하고 한밤에는 그리스도의 평화를 찬양하는 이중인격의 가면 속에 병들어 죽어가고 있는 것이다.

그렇다.

이것이야말로 가면무도회(假面舞蹈會)인 것이다.

가면무도회.

자신의 정체를 감추기 위해서 얼굴을 가면으로 가리고 가장(假裝)의 의상으로 몸을 감싼 채 열리는 사교 모임. 함께 모여서 춤을 추는 댄스 파티. 그는 문득 한경환의 후원회에 모인 사람들을 본 순간 그런 단어를 떠올렸다.

니체가 말했던가. "모든 조직은 광기에 젖어 있다"라고. S는 한때 반체제의 운동권 학생이었던 한경환을 체포하기 위한 체제의 비밀 조직원이었다. 한경환 역시 그 무렵 체제에 저항하기 위한 반체제의 비밀 조직원이었다. S의 조직은 반체제 조직의 뿌리를 뽑기 위해서 혈안이 되어 있었고 한경환의 조직은 S 조직의 체제를 무너뜨리기 위해서 반독재, 반민주 투쟁을 전개해나갔었다. 그러나 시대는 바뀌었다. 한경환의 반체제는 그 빛나는 전과를 훈장으로 삼고 이제 그토록 그들이 무너뜨리려 투쟁하였던 체제의 중심에 서게 되었다. 그리하여 S와 한경환은 한때의 적에서 이제 동지로 바뀌었다. 서로 가면을 쓰고 함께 춤추는 무도회장의 댄스 파트너가 되어버린 것이다. 니체의 말처럼 광기에 젖어서 광란의 춤을 함께 추고 있는 것이다.

무대 위에서는 낯익은 가수가 나와서 노래를 부르기 시작하였다. 여흥 시간이 시작된 모양이었다. 가수는 노래를 부르면서 사람들에게 박수를 유도해내었으며 청중들은 곧 박수를 치기 시작하였다.

"긴 밤 지새우고 풀잎마다 맺힌

진주보다 더 고운 아침 이슬처럼……"

사람들은 어느 틈에 가수의 노래에 따라서 합창을 시작하였다. 그는 그 합창 소리를 들으며 생각하였다. 그 노래는 그가 학창 시절 즐겨 부르던 「아침 이슬」이란 가요였다. 학생들은 이 노래를 이른바 저항 가요라고 불렀으며 따라서 당연히 방송이 될 수 없었던 금지곡이었다. 학생들은 시위를 할 때나 술에 취하면 이 노래를 불렀었다.

"태양은 묘지 위에 붉게 타오르고

한낮의 찌는 더위는 나의 시련일지라.

나 이제 가노라. 저 지친 광야에

서러움 모두 버리고 나 이제 가노라."

학생들은 이 노래를 부르며 공연히 감상적이 되었었다. 그들의 가슴은 청춘의 묘지와 같았으며 그 위로 떠오르는 붉은 태양과 한낮의 찌는 더위는 군부의 숨막히는 독재처럼 느껴졌었다. "나 이제 가노라. 저 거친 광야에"라는 노랫말의 가사는 자유와 해방의 신세계를 외치는 구호처럼 느껴졌었다. 그러나 이제 저 노랫말의 가사는 낡은 구호처럼 느껴진다.

마키아벨리즘.

이탈리아의 역사학자였던 마키아벨리가 주창해낸 정치 이론. 목적을 위해서라면 수단 방법을 가리지 않는 권모술수주의. 정치는 일체의 도덕과 종교에서 독립된 존재이므로 정치적 승리를 위해서라면 그 어떤 반도덕, 반종교라 할지라도 목적 달성이라는 결과에 따라서는 용서되고 정화(淨化)될 수 있다는 정치적 사고.

그들이 부르짖던 '긴 밤 지새우고 풀잎마다 맺힌 진주보다 더 고운 아침 이슬'은 자유와 해방이 아니라 또 하나의 정치적 권력이 아니었던가. 묘지 위에 붉게 타오르던 태양. 한낮의 찌는 더위 그 고통의 시련은 군사 정권의 독재적 고통을 선동하는 마키아벨리즘의 정치적 수단이 아니었던가. 우리들이 가고 싶어했던 저 거친 광야의 유토피아는 이런 것이 아니었다. 어제의 적들이 정치적 권력을 위해서라면 무슨 가면이라도 마다하지 않고 속으로는 증오하면서도 얼굴에는 여우의 가면을 쓰고 속으로는 살의를 품고 있으면서도 얼굴에는 백조의 탈을 쓰고서 서로 한데 어울려 춤을 추는 거짓 마키아벨리즘의 무도장이 아니었던 것이다.

가수가 노래를 부르고 무대 뒤로 사라지자 이번에도 낯익은 개그맨이 등장하였다. 그는 서서 스탠딩 코미디를 시작하였다. 삽시간에 분위기는 반전되었다. 음담패설을 적당히 섞어서 아슬아슬하게 화제를 끌어가자 사람들은 곧 유쾌해져서 마음껏 웃기 시작하였다. 개그맨은 날카로운 정치적 풍자도 빠뜨리지 않았다. 그는 다음과 같은 농담을 하였다.

"이승만 박사가 밥통을 하나 구했습니다. 그러자 박정희 대통령이 그 밥통에 쌀을 얹었습니다. 최규하 대통령은 그 밥통을 전두환 대통령에게 빼앗겼습니다. 전두환 대통령이 그 밥통을 빼앗아 밥을 지었습니다. 노태우 대통령은 그 밥통의 밥을 혼자서 다 먹어버렸습니다. 김영삼 대통령은 그 밥통을 잃어버렸습니다. 그래서 김대중 대통령은 사방팔방으로 그 밥통을 찾아다니고 있습니다."

와아아 하고 순식간에 웃음이 터졌다. 개그맨의 농담 속에 깃든 날카로운 정치 풍자가 정곡을 찔러 공감대를 형성해냈기 때문이다. 그러나 그는 웃을 수가 없었다.

그의 대학 시절은 개그맨의 표현대로라면 밥통을 빼앗아 밥을 짓기 시작하였던 신군부의 독재 시절이었다. 광주에서는 민주항쟁이 일어났고 학생들은 눈물을 흘리면서 광주의 노래를 불렀었다.

"사랑도 명예도 이름도 남김없이
한평생 나가자던 뜨거운 맹세
동지는 간 데 없고 깃발만 나부껴
새날이 올 때까지 흔들리지 말자
세월은 흘러가도 산천은 안다
깨어나서 외치는 뜨거운 함성
앞서서 나가니 산 자여 따르라
앞서서 나가니 산 자여 따르라

꽃잎처럼 금남로에 뿌려진 너의 붉은 피
두부처럼 잘리어진 어여쁜 너의 젖가슴

오월 그날이 다시 오면 우리 가슴에 붉은 피 솟네."

그 붉은 피는 모두 어디 갔는가. 붉은 피를 흘리며 죽어간 그 사람들은 어디로 갔는가. 죽은 희생자들은 묘지에 묻혀 있지만 앞서서 나간 산 자들은 마침내 사랑도 얻고 명예도 얻었다. 사랑도 얻고 명예도 얻고 이름도 얻어 정치가가 되어서 가면무도회를 열고 이처럼 노래를 부르고 코미디를 하면서 춤을 추고 있는 것이다. 죽은 자들은 말이 없고 그 죽은 자들의 희생을 딛고 일어선 그들은 이와 같이 화려한 가면무도회를 열고 있는 것이다.

그는 순간 견딜 수 없는 고통을 느꼈다. 그는 자리에서 벌떡 일어났다. 그는 자리를 박차고 그대로 돌아가리라 생각하였다. 그러나 막상 복도로 나서자 이대로 모른 체하고 돌아갈 수는 없었다.

어쨌든 한경환은 그에게 절대로 아무런 인사말도 없이 사라져버려서는 안 된다고 다짐하지 않았던가. 친구의 권유를 뿌리치고 그냥 냉정하게 떠날 수는 없다고 그는 생각하였다.

그는 복도에 서서 담배를 꺼내들었다. 담배를 쥔 손이 와들와들 떨리고 있었다. 간신히 불을 붙여 담배를 피우면서 그는 생각하였다. 그래, 나야말로 묘지다. 나의 청춘은 묘지 속에 묻혀 있고, 나의 인생은 그 묘지 앞에 세워진 묘비명처럼 낡고 초라하다. 쓰러져 죽어간 시체, 꽃잎처럼 흘리는 붉은 피는 바로 저 악마와 같은 S의 광기 어린 폭력 때문이 아닐 것인가.

자신의 정체를 숨긴 채 박수를 치고 노래를 따라 부르는 사탄

S. 네 얼굴에서 천사의 가면을 벗어라. 심지어 너는 사탄의 신분을 감추고 예수 그리스도의 가면마저 쓰고 있구나. 가면을 벗어라. 네가 스스로 가면을 벗지 않겠다면 내가 너의 가면을 벗겨버릴 것이다. 네 얼굴에 씌어진 천사의 가면을 벗겨내고 추악한 네 실제의 모습을 반드시 드러내게 할 것이다.

3

모든 파티가 끝나고 마침내 식사 시간이 시작되었다. 그때까지 남아 있던 사람들은 오후 8시가 넘은 시간이었으므로 대부분 2층 넓은 홀에 마련된 만찬에 참석하였다.

먹을 반찬들을 따로 마련해두고 사람들이 각자 자기가 먹을 만큼 음식을 담아서 먹는 뷔페식의 식사였다.

그는 시간이 흘렀지만 별로 식욕을 느끼지 않고 있었다. 그러나 그는 줄을 서서 차례를 기다려 음식을 챙긴 다음 구석진 자리에 서서 혼자서 먹기 시작하였다. 식사보다 술이 생각났지만 돌아갈 때 운전을 해야 하므로 차가운 맥주를 잔에 따라 마시기 시작하였다. 그때 맞은편에서 S가 한가득 음식을 접시에 담아들고 식사를 하고 있는 모습이 눈에 띄었다. S는 아는 사람들이 꽤 많이 있는지 오가는 사람들을 만날 때마다 큰 소리로 인사를 나누고 있었다.

그때였다.

식사를 하던 사람들이 갑자기 박수를 치기 시작하였고 길을 열어주었다. 그 길을 따라서 한경환이 만면에 웃음을 띠며 입장하였다. 경환은 주위 사람들과 시선이 마주칠 때마다 반갑게 인사를 나누면서도 한편으로는 두리번거리면서 주위를 살펴보고 있었다. 그 순간 그는 경환이가 자신을 찾고 있다는 것을 깨달을 수 있었다. 경환이가 자신을 찾고 있음을 알고 있으면서도 그는 선뜻 앞으로 나설 수가 없었다. 그는 여전히 구석진 자리에 선 채 경환이가 자신의 모습을 발견하고 제 발로 찾아오기만을 기다리며 우두커니 서 있을 수밖에 없었다.

그는 부끄러웠다.

사람들의 박수와 갈채를 받고 있는 국회의원 경환의 앞으로 나서는 것이 부끄러웠다. 그래서 그는 잔에 따른 맥주를 마시면서 구석진 자리에 그대로 서 있었다. 마침내 그의 모습을 발견한 경환이가 곧장 사람들을 헤치고 그의 곁으로 다가왔다.

"성규야, 배고프지."

경환은 다정스럽게 말을 건네었다. 그는 대답 없이 자신이 먹고 있는 음식을 가리키며 빙그레 웃어 보였다. 그러자 경환은 손님들이 마실 수 있도록 술을 가득 채운 술잔을 들고 있는 사람을 따로 불러 자신이 먼저 위스키 잔을 들며 말하였다.

"술 한잔 해야지."

"차를 가져왔어. 운전을 해야 해."

"한잔 마시는데 어때."

경환은 손에 들린 위스키 잔을 그에게 건네주면서 말하였다. 할 수 없이 그는 경환이가 주는 위스키 잔을 받을 수밖에 없었다. 경환은 자신도 위스키 잔을 들고 말하였다.

"오랜만이다. 우리 건배 한번 해야지."

경환은 그가 들고 있는 술잔에 잔을 부딪쳐 쨍그랑 하고 소리를 내고 술을 마시기 시작하였다. 그도 독한 위스키를 한 모금 입에 털어넣었다.

"이렇게 와줘서 고마워."

경환은 그의 어깨를 손으로 만지면서 다정스레 말하였다.

"이렇게 해야만 얼굴이라도 볼 수 있으니까 말이야. 이게 도대체 얼마 만이야. 그래 어떻게 지내? 학생들을 가르치는 건 재미있어?"

"재미있긴. 다 먹고살기 위해서 하는 일이지."

"참, 제수씨 잘 있겠지. 이왕이면 오늘 부부 동반해서 함께 오지 그랬어. 벌써 수년 동안 얼굴도 보지 못했는데."

그의 윗저고리에는 배지가 달려 있었다. 이것이 소위 국회의원을 상징하는 금으로 만든 배지라는 것인가. 무궁화를 연상시키는 문양 위에는 노랗게 도금된 나라 국(國)자가 선명하게 새겨져 있었다.

오늘 파티의 주인공인 한경환이 다른 사람을 제쳐두고 줄곧 그와 구석진 자리에서 대화를 나누고 있기 때문인지 사람들은 다투어 찾아와서 눈인사를 나누고 악수를 하기도 했었다.

그때였다. 그는 S가 그들이 있는 자리로 천천히 걸어오는 모습을 보았다. 그는 순간 손에 들고 있는 위스키 잔을 단숨에 비웠다. 뜨거운 불덩어리와 같은 독한 위스키가 목구멍을 타고 흘러내려갔다.

"오랜만입니다. 한의원님."

S는 경환의 곁으로 다가서면서 웃으며 말하였다.

"아니 이게 누구세요. 신사장님."

경환은 S에게 손을 내밀었다. 두 사람은 반갑게 악수를 나누었다.

"어떠세요. 요즘 사업은 잘되십니까?"

"그럭저럭 버티어나가긴 합니다만 요즘엔 워낙 불경기가 되어놔서. 어떠십니까. 의원님이야말로 신색이 좋으십니다. 다음 선거에서도 당선은 따논 당상이 아니겠습니까. 매스컴에서는 모두들 차세대의 선두 주자로 한의원님을 첫번째로 손꼽고 있습니다."

"모두 신사장님의 덕분이지요."

그들은 웃으며 덕담을 나누고 있었다.

그는 차를 타고 돌아가야 했으므로 술을 자제해야 하는 것을 잘 알고 있었지만 도저히 그냥 맨송맨송한 정신으로 서 있을 수가 없었다. 그는 술이 가득 담긴 술잔을 들고 손님 사이를 돌아다니고 있는 사람을 손짓으로 불러 다시 위스키 잔을 뽑아들었다. 그는 위스키를 찔끔찔끔 마시기 시작하였다.

그는 20여 일 동안 알 수 없는 수사 기관에 갇혀서 상상도 할 수 없는 고문과 엄청난 폭력을 당했었다. 그 고문과 폭력의 목적은 단 한 가지뿐이었다. 그것은 '경환이가 숨어 있는 장소'를 고백하라는 것뿐이었다. 그는 경환이가 숨어 있는 곳을 전혀 알지 못하였다. 그가 경환이의 애인이었던 미정의 존재를 밀고할 수밖에 없었던 것은 그렇게 해서라도 면죄부를 받고 죽음의 공포로부터 해방되고 싶었기 때문이었다.

그런데 이제 두 사람은 서로 웃으면서 악수를 나누고 있다. 말하는 태도로 봐서 두 사람은 우정 이상의 친분을 유지하고 있는 사람들처럼 보였다. 경환은 악수를 나누고 있는 S의 정체를 알고 있을까. 자신이 악수를 나누고 있는 S가 한때 자신을 체포하기 위해서 온갖 악랄한 고문을 자행했던 고문 기술자이자 인간 백정이었던 바로 그 사람임을 알고 있을까.

그때 갑자기 경환이가 묵묵히 술을 마시고 있는 그를 가리키며 말하였다.

"서로 인사를 나누시지요. 이쪽은 제 절친한 학교 친구입니다. 그리고 이쪽은 나를 물심양면으로 도와주고 계신 신영철 사장님이시고."

"안녕하십니까."

S는 소개를 받고 그에게 고개 숙여 인사를 하였다. 그 순간 S의 눈빛이 안경 너머에서 반짝 하고 빛이 났다.

"잠깐, 우린 이미 구면이 아니었던가요?"

오랫동안 수사 기관에 근무하였던 사람의 영감 같은 것이 본능적으로 발동된 듯 보였다.

"혹시 K성당에 나오는 신자분이 아니셨던가요. 한 달 전쯤이었던가요. 새로 편입되어 오신 신입 교우셨던 것 같은데요. 아마 성당 앞 뜨락에서 인사를 드렸었던 것 같은데."

"그 그렇습니까."

그는 하는 수 없이 고개를 끄덕였다.

"존함이 최성규 베드로님 아니셨던가요. 아, 생각난다. Y고등학교의 선생님이시지요. 저희 아이가 그 학교에 다니고 있습니다. 집의 아이에게 물어보았더니 학생들 모두가 선생님을 존경하고 있다는 말씀을 전해 들었습니다."

"두 분이 벌써 아는 사이셨던가요?"

지켜보던 경환이가 끼어들었다.

"아는 사이뿐입니까. 저희들은 같은 성당에 나가고 있는 교우들입니다. 최선생님은 새로 이사 오셔서 저희 성당에 편입되어 오셨고 저는 성당에서 사목회장으로 봉사를 하고 있습니다. 그래서 언젠가 한 번 성당에서 서로 인사를 나눈 적이 있었습니다. 한의원님."

S는 미소를 띠워 올리면서 말하였다.

"세상은 정말 너무 좁아요. 우리나라 사람은 한 사람만 건너면 다 친척이고 다 아는 사람입니다. 한의원과 최선생님이 대학

36

교 시절부터 죽마고우였다는 것도 오늘 이 자리에서 처음 알게 되었으니까요."

그럴 리가 없을 텐데요. 순간 튀어나오려는 말을 간신히 참으면서 그는 단숨에 술을 들이켰다.

너는 내가 한경환의 절친한 친구라는 사실을 15년 전부터 알고 있었다. 너는 네 말대로 한 달 전 우연히 성당 앞 뜨락에서 한 사람은 사목회장으로, 한 사람은 새로 전입 온 신입 교우로 인사를 나눈 사실까지 정확히 기억하고 있다. 우연히 한 번 본 나의 이름과 세례명 그리고 직업까지 너는 정확히 기억하고 있다. 그럼에도 불구하고 너는 15년 전 20여 일 동안이나 고문하고 폭력을 휘둘렀던 대상인 내 모습을 전혀 기억하지 못하고 있다. 아니다. 너는 일부러 그 기억에 대해서만큼은 묵비권을 행사하고 있는 것이다. 악마였던 너의 정체, 인간 백정이었던 너의 추악한 정체가 드러날까 두려워서 그 부분에 대해서만큼은 철저히 침묵하고 있는 것이다.

"앞으로 잘 부탁드리겠습니다."

S는 손을 내밀었다. 그는 S의 손을 마주 잡았다. 짧은 순간 그의 오른쪽 네번째 손가락의 매듭 하나가 절단되어 있다는 것을 그는 선명하게 볼 수 있었다.

그는 순간 온몸이 뻣뻣하게 굳어졌다. 온몸에 피가 역류하는 느낌이었다.

4

생각했던 대로 주차장은 이미 만원이었다. 새로 지은 아파트여서 주민들을 위한 주차장의 공터를 여유 있게 만든 것도 같지만 밤 10시만 되면 주차장은 벌써 주민들의 차로 만원을 이루고 있었다.

주차 전쟁. 주차 공간을 확보하기 위해서 주민들은 최소한 밤 9시 이전에는 집으로 돌아와야 했다. 밤 10시만 넘으면 이미 주차장은 포화 상태가 되었으므로 할 수 없이 아파트 단지가 아닌 외곽 지대에 차를 세워두고 집까지 걸어와야 하는 것이다. 집으로 걸어오는 것이야 5분 남짓으로 그것이 불편해서가 아니라 관리인의 시선이 못 미치는 사각 지대에 차를 주차해두었으므로 야밤을 틈타 도난 사고가 빈번히 일어나기 때문이었다.

실제로 최근에는 외곽 지대에 세워놓은 수십 대 차량의 오디오 시스템이 하루아침에 도난당한 일도 있었고 무슨 개인적인 원한이라도 있는지 밤 동안 주차해놓은 차 타이어가 수십 대 파손된 일도 있었다. 그래서 주민들은 될 수 있는 대로 일찍 돌아와 단지 내에 차를 주차해두려고 전쟁을 벌이고 있었다.

그는 하는 수 없이 외곽 도로 위에 차를 세웠다. 외곽 도로 위에 차를 주차해놓는 자체가 불법이었으므로 아침 일찍 차를 빼야만 하였다. 그러나 오늘이 마침 주말이었고 내일은 휴일이니 불법 주차를 적발하는 단속원들도 휴무일 거라는 생각이 들어 안심하고 차를 세운 후 집을 향해 걸었다.

그러나 그는 이대로 그냥 집으로 돌아가고 싶은 심정은 아니었다. 이제 밤은 깊어 11시 가까이 되었지만 도저히 맨송맨송한 기분으로 집으로 돌아갈 수는 없었다.

그래서 그는 집으로 가는 방향과는 반대로 거슬러 걷기 시작하였다. 단지에서 조금만 빠져나가면 아파트 주민들을 상대로 한 작은 상가가 있었다. 상가에는 간단하게 술을 마실 수 있도록 간이 주점이나 튀김닭에 생맥주를 파는 호프집도 있었다. 그는 독한 술을 마시고 싶었으므로 실내 포장마차로 들어가 소주부터 시켰다.

차를 타고 집으로 돌아와야 했으므로 절제해서 마신 두어 잔의 위스키가 오히려 그의 갈증을 부추기고 있었다. 그래서 그는 안주가 나오기도 전에 소주를 잔에 따라 두 잔을 연거푸 마셨다.

그러고 나서 그는 지갑을 뒤져 오래전에 S로부터 받은 명함을 꺼내들었다. 그는 명함을 탁자 위에 올려놓았다.

진도물산 대표이사 신영철.

명함에는 그의 회사 전화번호와 집 전화번호가 함께 인쇄되어 있었다.

안주가 나오자 그는 순식간에 소주 한 병을 비워버렸다. 그는 술 한 병을 더 시켰다. 단숨에 소주를 들이켰으므로 걷잡을 수 없을 정도로 취기가 달아올랐다.

그는 엎질러진 술을 손가락으로 찍어 탁자 위에 S자를 써보았다. 그 순간 그의 몸속으로 증오심이 폭발하듯 솟구쳐올랐다.

'신영철, 나는 네가 누구인지 알고 있다.'

그는 중얼거리면서 말하였다. 어디선가 보았던 영화의 선전 문구 하나가 머리에 기억되어 떠올랐다. 그 영화의 제목이 '나는 네가 지난 여름에 했던 일을 알고 있다'였던가. 그래, 나는 네가 누구인지 알고 있다. 난 네가 지난 시절에 했던 일을 알고 있다. 네가 아무리 가면을 쓰고 위장을 하고 있더라도 나는 네 실제의 모습을 추악한 악마의 모습을 알고 있다.

"저 사람이 누구야?"

그는 악수를 하고 사라지는 S를 향해 경환에게 물어보았었다. 그러자 경환은 대답했다.

"음, 평소에 아는 사람인데 사람은 젠틀해. 나를 많이 도와주고 있지. 이따금 함께 술도 마시고 골프도 치는 사람이야."

술 취한 그의 귓가에 경환의 목소리가 메아리쳐서 들려왔다. 사람은 젠틀해. 나를 많이 도와주고 있어. 이따금 함께 술도 마시고 있어. 젠틀한 사람. 함께 골프도 치는 파트너. 은밀하게 정치 자금도 후원하는 신사적인 사업가. 그러나 나는 알고 있다. 나는 네가 누구인지 알고 있다. 나는 네가 아우슈비츠의 포로수용소에서 수만 명의 유대인을 학살하였던 인간 백정보다 더 악랄한 악마 S였음을 잘 알고 있다.

너는 배신자 가롯 유다다. 예수를 은전 서른 닢에 팔아먹은 배반자 유다다. 그럼에도 불구하고 가롯 유다는 칼과 몽둥이를 든 무리들과 미리 암호를 짜고 "내가 입맞추는 사람이 바로 그 사람이니 붙잡아서 놓치지 말고 끌어가라"고 일러준다. 그리고 가롯 유다는 예수께 다가가서 "선생님 안녕하십니까" 하고 인사를 하면서 입을 맞춘다. 예수를 단돈 서른 닢에 팔아먹은 바로 그 배신자가 자신이 배신한 예수의 입에 키스를 하는 것이다.

신영철. 너는 천사의 가면을 쓴 악마다. 너는 지금 사람들에게 인사를 하고 악수를 하고 입을 맞추고 있다. 가슴에는 '그리스도 우리의 평화'란 구호를 두르고 사목회장으로 예수의 입에 키스를 하고 있다. 그러나 나는 네가 사탄임을 알고 있다. 요한복음에서는 "정말 잘 들어두어라. 너희 가운데 나를 팔아먹을 사람이 하나 있다"라고 말하자 제자들은 "주님, 그게 누구입니까?" 하고 물었다고 기록하고 있다. 이 장면을 요한은 다음과 같이 표현하고 있다.

"예수께서는 '내가 빵을 적셔서 줄 사람이 바로 그 사람이다'라고 하였다. 그리고는 빵을 적셔서 가리옷 사람 시몬의 아들 유다에게 주셨다. 유다가 그 빵을 받아먹자마자 사탄이 그에게 들어갔다. 그때 예수께서는 유다에게 '네가 할 일을 어서 하여라' 하고 이르셨다. 유다는 빵을 받은 뒤에 곧 밖으로 나갔다. 때는 밤이었다."

마찬가지로 신영철. 너는 물에 적신 빵을 받아먹은 배신자 가롯 유다다. 유다가 빵을 받아먹자마자 사탄이 그에게 들어갔듯 신영철 너에게도 사탄은 들어갔다. 그리하여 너는 캄캄한 어둠 속으로 사라졌다. 요한이 묘사한 '때는 밤이었다'의 그 캄캄한 어둠 속으로 사라진 가롯 유다는 대사제들을 찾아간다. 찾아가서 이렇게 말한다. "내가 당신들에게 예수를 넘겨주면 그 값으로 얼마를 주겠소?" 그때 대사제들은 그에게 은전 서른 닢을 내준다. 너는 어둠 속으로 사라진 가롯 유다처럼 어둠 속에 너의 정체를 숨기고서 사람을 폭행하고 고문하고 신음하는 인간을 보면서 마음껏 즐기면서 조롱하고 비웃고 학대하고, 인간성을 말살하고 짓밟으며 네가 섬기는 악마의 제단 위에 피의 제물을 바쳤다. 그러므로 너는 악마를 숭배하는 반그리스도의 사제이다. 너는 은전 서른 닢에 너의 영혼을 팔아버린 사탄이다. 그럼에도 불구하고 너는 너의 정체를 숨기고 감히 대낮처럼 손에는 등불과 횃불을 들고서 예수께 다가서서 "선생님 안녕하십니까" 하고 인사를 하고 입에다 키스를 하고 있는 것이다.

그는 새로 시킨 또 한 병의 소주를 성급히 들이마시면서 중얼거렸다.

그러므로 너는 네가 받은 은전을 내동댕이치고 물러가서 스스로 목매달아 스스로 죽어야 한다. 마태오는 그 장면을 다음과 같이 묘사하고 있다.

"……그때 배반자 유다는 예수께서 유죄 판결을 받은 것을 보고 자기가 저지른 일을 뉘우쳤다. 그래서 은전 서른 닢을 대사제들과 원로들에게 돌려주며 '내가 죄 없는 사람을 배반하여 그의 피를 흘리게 하였으니 나는 죄인입니다' 하였다. 그러나 그들은 '우리가 알 바가 아니다. 그대가 알아서 처리하라' 하고 말하였다. 유다는 그 은전을 성소에 내동댕이치고 스스로 목매달아 죽었다. 대사제들은 그 은전을 주워들고 '이것은 피의 값이니 헌금 궤에 넣어서는 안 되겠소' 하며 의논한 후에 그 돈으로 옹기장이의 밭을 사서 나그네의 묘지로 사용하기로 하였다. 그래서 그 밭은 오늘날까지 '피의 밭'이라고 불린다."

배신자 유다가 스스로 목매달아 죽었듯 신영철 너도 목매달아 죽어야 한다. 그리하여 '피의 밭'에 묻혀야 한다. 그러나 너는 아직도 은전 서른 닢을 가슴 깊이 간직하고서 네가 배신한 예수께 인사를 하고 있다. 인사를 하면서 키스를 하고 있구나. 너는 아직도 '네가 저지른 죄를 뉘우치지 못하고 있구나.'

그런 의미에서 너는 '자기가 저지른 죄를 뉘우친' 가롯 유다보다 더 무자비한 악마로구나.

그는 부들부들 몸을 떨었다. 그리고 이를 악물며 중얼거렸다.

신영철 너의 본명이 가브리엘이라고, 대천사 가브리엘이 너의 세례명이라고. 아니다. 너의 세례명은 가롯 유다다. 예수의 열두 제자 중 가톨릭 성인에 이르지 못한 단 한 사람의 배신자. 반그리스도인인 너에게 가장 어울리는 세례명이야말로 바로 가롯 유다인 것이다.

네가 스스로 목매달아 죽지 아니한다면 나는 너를 교수대(絞首臺) 위에 세울 것이다. 네 목에 밧줄을 묶고 네 다리를 지탱하고 있는 널빤지를 떨어뜨림으로써 너를 허공에 매달아 교수형에 처할 것이다. 그리하여 너를 강제로라도 피의 밭인 나그네의 묘지 위에 묻히게 한 후 너의 묘지 앞에는 다음과 같은 묘비명을 새긴 묘석을 세울 것이다.

'배신자 신영철 가롯 유다의 묘지.'

제6장　죽음의 기록

1

그날 밤 새벽녘 술이 깬 그는 갈증 끝에 일어나 냉수를 들이켜고 나서 스탠드의 불을 켜고 머리맡에 놓인 장미카엘라 수녀가 보내준 책을 다시 읽기 시작하였다. 마침내 추위가 극성을 부리기 시작하는 1950년 10월 8일 고산진에 도착한 마리 마들렌 수녀 일행은 그때부터 참혹한 죽음의 행진을 또다시 시작하게 되었다. 전쟁이 시작된 20여 일 뒤인 7월 15일 체포되어 시작된 죽음의 행진은 어느덧 백 일에 가까운 시간이 흐르게 된 것이다. 이때의 상황을 마리 마들렌 수녀는 다음과 같이 기록하고 있다.

'생사를 헤맨 피랍 행렬(1950년 10월 8일에서 10월 31일까지)'

2

고산진에 도착하였을 때 추위는 극심하였습니다. 유리창이 다 깨진 어느 학교 교사에서 자게 되었습니다. 맞바람이 세게 불어왔습니다. 아침에 일어나신 베아트릭스 원장 수녀님은 몸이 꽁

꽁 얼었으므로 운동이라도 하여 좀 풀어보려고 운동장에 나가 걸어보시다가 그만 졸도해버렸습니다.

우리 감시병들이 점차로 우리에게 자유를 허락할 눈치이기에 우리는 가냘픈 희망을 갖게 되었습니다. 매일 소련을 선전하는 척했지만 독서 시간과 산책할 시간을 주고 볼일이 있다고 하면 동네에까지 나갈 자유를 허락하는 등 우리의 포로 생활로서는 황금 시기에 이르렀고 더군다나 내일은 더운물로 목욕까지 하게 된다는 것이었습니다.

이튿날 아침, 과연 더운 목욕물이 준비되어 기뻐하고 있는데 아닌 밤중에 홍두깨 격으로 떠나라는 명령이 내렸습니다. 감시병 대장도 이 전화를 받고는 어리둥절해하는 것이었습니다. 중공군에게 이 자리를 내어주기 위해 우리는 떠나야 될 형편인 모양입니다.

보름 동안을 고산진에 머물러 있다가 다시 떠날 때 우리는 파와 명태도 어깨에 걸머지고 떠났습니다. 기운이 좀 있는 사람은 걷고, 아주 쇠약한 사람은 저녁에 온다는 마차를 길가에서 하루 종일 기다리게 하였습니다. 미군 포로도 우리와 함께 기다리는 사람이 있는가 하면 걷기도 하였습니다.

한밤중에 초산에 도착하였습니다. 수용소란 것은 처음 보는 초라한 한국 오막살이 집이었습니다. 더럽기 짝이 없고 문살과 창살이 없었습니다. 등불은 없었지만 다행히 달빛이 있기에 방 바닥에 깔린 가마니 한 장을 문에다 치고, 나무판자로 창구멍을 가리는 둥 마는 둥 해놓고 방바닥에 누워 자기로 하였습니다.

　이튿날 손재간이 아주 훌륭하신 뵐토 신부님이 오시어 문을 좀 가려보기 위해 무척 애를 써보았으나 없는 것뿐이었으므로 어찌해볼 도리가 없었습니다. 밤에는 어지간히 추워도 두서너 시간은 눈을 붙일 수 있었지만, 자다가 너무 추워서 잠이 깨면 온몸을 고슴도치처럼 쪼그리고 뜬눈으로 새기도 하였습니다.

　먹을 것도 없고 감시병마저 없기에 우리들은 이 오막살이 수용소에 버림을 받은 것처럼 느껴졌습니다. 얼마 후에 그들은 동네 창고에서 약간의 기름과 콩, 밀가루를 가져다 주고는 또다시 어디론가 자취를 감추어버렸습니다. 땔감이 없어서 매일 프랑스 공사와 영국 부공사가 선두에 나서, 산에서 나무를 해오기로 하였습니다. 우리들은 최대한도의 군불을 때어보려고 옥수수잎이니 대나무잎, 마른 삭정이를 주워 불을 피웠습니다. 이때 감시병들은 아주 종적을 감추어버리고, 다만 중공군과 북한 사람들이 무리를 지어 도망가는 것같이 보였습니다. 몇 차례씩이나 떼를 지은 무리가 동네를 지나서 산으로 산으로 올라가버렸습니다. 어떻게 된 것인지 도무지 알 수가 없었습니다.

　초산에는 일주일 간 머물러 있었을 뿐인데 또 떠나라는 지령이 내렸습니다. 그런데 이동 명령이 내리기는 하였으나 감시병 대장은 다음과 같이 일러주는 것이었습니다.

　"빨리 가진 마시오. 천천히 가기만 하면 유엔군을 만날 수 있을 것 같소."

한 시간에 1킬로미터씩 가는 것이 좋으리라고 말해주었으므로, 이에 따라 82세가 되신 우신부님을 앞장세우고 길을 떠났습니다. 저녁 5시쯤에 떠났는데, 겨우 2킬로미터 정도밖에 못 가자 비가 부슬부슬 내리기 시작했으므로 그것을 핑계 삼아 다시 수용소로 돌아가 시간을 보내며 앞으로 더 가지 않으려고 애써보았습니다.

이튿날 다시 떠나가야 하였습니다. 기진맥진한 이들을 위해서 달구지를 타게 하였으나, 그 달구지에는 손잡이가 하나도 없는데다가 산골의 험한 길을 가야만 되니, 이 길은 가보지 않고는 알 수 없는, 말로 표현할 수 없는 어려운 길이었기에 타고 가기에는 불가능하다고 생각했었습니다.

감시병 대장은 말하였습니다.

"왜 당신들은 그러고만 있소? 당신들 중 몇 사람쯤은 남한으로 도주해도 좋을 것 같은데…… 내가 안내자를 보내드릴 수도 있습니다. 안내하던 병정이 도주하여 돌아오지 않아도 나는 다르게 생각하지 않겠어요. 그러나 내가 당신들에게 호의를 베푼 것을 기억해주시면 고맙겠소."

이렇게 관대하게 대해주는 것 같았지만, 다 신용할 수 없는 이유도 있었습니다.

여하튼 두 사람이 모험 삼아 안내하는 상사를 따라 떠나가보기로 하였습니다. 그 상사는 대단히 친절하였지만 후렴과 같이 자기를 기억해달라는 말만 했습니다. 두 시간쯤 걸어가다가 내

무서 서장을 만나 무엇인가 오랫동안 이야기를 주고받고 나더니
그의 태도는 완전히 뒤바뀌었습니다.

"이제는 더 멀리 가지 않는 것이 좋겠습니다. 전세가 달라져
서 중공군이 승전하여 오기 때문입니다. 이 전선을 넘기에는 너
무 위험하니 다시 돌아갑시다."

가까워오는 자유를 등지고 다시 발길을 돌려야 했던 우리는
그의 마음 속을 알 수 있었습니다. 즉 그는 얼마쯤 오다가 다짐
하는 것이었습니다.

"내가 당신들을 안내하여주면 소르본 대학에 유학시켜주겠습
니까?"

"암, 물론이지요."

"나만 아니고 우리 동무들도 시킬 수 있겠습니까?"

"네, 아무렴요."

"진정으로 약속합니까?"

따라갔던 딘 기자와 다른 한 사람은 '물론'이라고 확실히 대답
하였습니다. 그 상사는 다시 무엇인가 생각하고 나더니 말하였
습니다.

"아닙니다. 아무래도 너무 위험하니 돌아가야 합니다."

자유를 눈앞에 두고 돌아서는 두 사람의 마음은 먹구름처럼
우울하였습니다. 일주일 후에 떠나온 고산진을 향하여 우리는
다시금 절망의 발길을 옮겨야 했습니다.

소달구지를 타고 가파른 길로 여러 시간을 흔들리며 가다가

별안간 길가에 멈추었습니다. 우리 앞에 나란히 걸어가고 있던 병정 하나가 갑자기 졸도를 한 까닭이었습니다. 겨우 정신이 돌아오자 그는 계란을 달라고 애원하였으나 길가에서 어떻게 계란을 얻을 수가 있겠습니까? 우리 원장 수녀님은 애처로운 마음으로 어떻게 좀 구해줄까 하여 가까운 농가에 감시병과 같이 가자고 청하였습니다. 농부는 미군 포로에게 줄 것인 줄 알고 닭장으로 가더니 따끈한 계란 세 개를 꺼내다 주었습니다. 그러나 값은 끝끝내 사양하고 받지 않는 것이었습니다. 모든 것을 앗아간 공산당이지만 한국 민족의 얼 속에 깊숙이 숨겨진 친절미(특히 농민들의)만은 아직 빼앗아버리지 못하였나 봅니다. 우리 원장 수녀님은 임종하는 병정 옆으로 달려가 얻은 계란을 먹이려고 하였으나, 숨이 끊어져가는 사람에게는 아무 소용이 없다고 생각했는지 곁에 있던 병정이 가로채어 먹고 말았습니다. 재차 계란을 건네주었으나 이번에도 역시 다른 병정이 받아 먹어버렸으므로 결국 숨을 거둔 자에게는 주지 못하고 말았습니다. 그래서 남은 계란 하나는 아침부터 아무것도 못 잡수셔서 기운이 없으신 멕틸드 수녀님께 드리기로 하였습니다.

이 가련한 임종자는 숨이 끊어졌고 일행은 또다시 출발하였습니다. 고산진에서 좀 떨어진 곳에서 머물기로 되었는데, 여기서는 밤에 문밖에도 나가지 못하게 하였습니다. 이미 많은 중공군 부대가 와 있었으므로 그들의 눈에 띄는 것은 아주 위험하다는 말이었습니다. 방이 너무 비좁아서 잠을 이룰 수 없었으며 식사로는 콩만 조금 받아먹었을 뿐입니다. 아무 할 일이 없었으므로 다만 아침을 기다리는 것이 일과였습니다. 미군 포로가 사랑하는 마음으로 보내준 밀가루죽을 먹고 또다시 길을 떠났습니다.

날씨는 매우 좋았습니다. 달구지를 끄는 황소가 심장병에 걸려서 몇 번씩 멈추었다가 다시 가곤 하였습니다. 출발 시에 감시병은 탈 사람이 몇이나 되느냐고 물었으므로 책임자는 23명이라고 대답하였습니다. 그런데 백계 러시아의 어린아이는 그날 달구지를 타기로 하였으나 자기 아버지와 같이 걸어갔습니다. 얼마 후, 몇 시간을 가다가 다시 인원 수를 점검했는데 두 번 세 번 아무리 세어보아도 22명밖에 안 되자 감시병은 화를 버럭 내면서 호통을 쳤습니다.

"왜 거짓말했어?"

아무리 설명하여도 그는 곧이듣지 않았습니다.

"정말로 22명인 것을 23명이라고 하였다면 너희가 일부러 거짓말을 한 것이고, 또 정말로 23명뿐이었다면 한 놈이 도망친 것이로구나."

하더니, 그 한 명을 찾아내지 않고서는 가지 않겠다는 것이었습니다. 그리고 우리를 풀밭에 내려 앉혀놓고는 두세 시간이나 그냥 내버려두는 것이었습니다. 덕분에 소도 편안히 쉬고 우리도 달구지에 몹시 시달린 몸을 쉬기로 하였습니다.

사람들과 짐을 잔뜩 실은 트럭이 지나갔습니다. 아마 그들도 피난을 가는 모양이었습니다. 트럭 위의 사람들은 우리들에게 떡을 던져주기도 하였습니다. 세 마리의 나귀가 끄는 마차를 타고 가는 중국 사람들을 보게 되자, 중공군이 북한을 도우려고 참전하러 온 것을 짐작할 수 있었습니다. 세 시간쯤이 되어서야 감시병은 분노가 가라앉았던지 도망간 자에 대해서는 더 묻지도 않고 떠나라는 호령을 내렸습니다.

이렇게 그리스도 왕 축일을 지내며 어둡고 추운 밤에 목적지에 도착하였습니다. 그리고 지붕 없는 집으로 인도되었는데, 말이 집이지 네 모퉁이의 벽만 남아 있고 방바닥에는 지붕이 내려앉아 있었습니다. 이곳이 밤의 피난처로 되었습니다. 원망을 하고 불평을 한들 아무 소용이 없었으므로 아무것이라도 서둘러 찾아 가지고 집을 정돈하는 것이 상책이었습니다. 나뭇조각을 주워 모아서 불을 지폈습니다. 냉방에서 있자니 추위와 공복으로 뱃가죽이 등에 닿는지 가슴은 쓰리고 도무지 잠을 이룰 수가 없었습니다. 10시쯤 되어 옥수수와 콩을 가져다가 삶았으나 불이 시원치 않아 밤 12시가 되어도 익지를 않았습니다. 다음날 아침에 걸어오는 이들이 도착하였습니다. 제각각 닥쳐오는 밤만은 잘 지내려고 힘써보았습니다.

영국 부공사는 수용소를 감시하는 자가 눈에 띄지 않자 그 기회를 이용해 도주하기로 마음먹고 철도를 따라나섰습니다. 그는 열여섯 살 때에 네덜란드 감옥에서 탈출한 일이 있고, 몇 년 후에는 스페인 감옥에서도 탈옥에 성공한 경력이 있었다고 했습니다. 그러나 이번에는 성공치 못하였습니다. 두 시간쯤 걸어가다가 산기슭에 이르렀을 때, 그만 감시병에게 걸렸다는 것이었습니다. 그러나 그 감시병은 아무런 형벌도 주지 않고 그냥 우리에게로 다시 돌려보내주었습니다. 그동안 우리를 관리하던 책임자는 착한 사람이었습니다. 손을 내밀어 일일이 악수를 청하며 지금까지 잘못 대접한 데 대하여 눈물을 글썽거리며 용서를 청하고, 마지막 작별 인사를 하고 어디론지 떠나가버렸습니다.

오후 5시에 우리를 마당으로 집합시키므로 가보았더니 어느덧 '호랑이'라는 별명이 붙어버린 책임자를 대하게 되었습니다. 이 별명은 그에게 참으로 적절하였습니다.

그는 자기 어깨의 별을 보이면서 자기를 소개하였습니다.

"나는 공화국 인민군 사령관이다."

앞으로 250킬로미터나 되는 산길을 걸어가야 한다는 것과 매우 힘이 들어도 도중에서 머물지 말고 끝까지 강행해야 한다고 호령하였습니다. 프랑스 공사는 아이들과 노인과 병자를 위하여 무엇이든 좋으니 태워 보내달라고 간청하였습니다. 그랬더니 호랑이는 프랑스 공사의 가슴에 총구를 겨누고는 버럭 고함을 쳤습니다.

"아무 말 마라. 군대 명령이다. 죽든지 걷든지 하나를 택하라."

폐렴을 앓고 나서 쇠약해지신 멕틸드 수녀님을 어떻게 걸어가시게 할지 우리는 앞이 막막하였습니다. 우리의 걱정을 눈치 채시고 언제나 용맹하신 수녀님께서는 말씀하셨습니다.

"걱정하지 마시오. 하느님께서 도와주실 것입니다. 제가 걸어 가겠습니다."

내무서원들은 우리가 가지고 있는 모든 연장, 심지어는 연필 깎는 칼까지 모두 빼앗아놓고서야 우리들을 떠나보내는 것이었 습니다. 우리의 죽음의 행진이 또 시작된 것입니다.

3

죽음의 행진, 중강진으로 가는 길(1950년 10월 31일~11월 17 일).

우리는 둘씩 둘씩 짓눌리는 듯한 가슴을 헐떡이며 7백 명 미 군 포로를 앞세우고 묵묵히 행진하기 시작하였습니다. 만포 거 리를 지나 어느 시골에 이르렀는데, 밤 10시경에야 옥수수밭에 머무르게 하였습니다. 옥수수는 다 베고 잎사귀만 널려 있었는 데, 마침 이것이나마 고맙게도 우리의 침구를 대신해주었습니 다. 멕틸드 수녀님은 이곳에서만은 아직 그렇게 어려워하시지 않았습니다. 하느님께서는 이 어려움 중에 있는 우리를 불쌍히 여기시어 옥수수 잎사귀로 불을 피워서 조금이나마 온기를 얻어 기운을 회복할 수 있도록 해주신 덕분으로 잠을 잠깐 잘 수 있었 습니다. 아침에 일어나보니 남자들의 수염에는 하얗게 서리가

56

내린 듯하였고, 미군 포로들의 시체가 이곳저곳에서 여러 구나 눈에 띄었습니다.

11월 1일

이날이 바로 성교회에서는 성모 승천을 반포하신 경사로운 날이었다는 것을 자유를 얻은 후에야 비로소 알 수 있었습니다. 그러나 우리에게는 너무나도 엄청난 비극의 시간이 다가오고 있었습니다.

강제로 미군이 참혹하게 살해당하던 그 무서운 날의 기억은 바로 어제의 일과 같이 항상 머리에 떠올랐습니다. '호랑이'는 외쳤습니다.

"낙오자를 내지 말라. 병자는 물론 시체까지라도 끌고 가야 한다."

미군 포로는 여러 부대로 나뉘어 있어 각각 소대마다 책임자가 있었습니다. 각 부대에 죽어가는 포로가 늘기 시작한 모양이었습니다. 할 수 없이 그들을 길가에 그냥 두고 가기로 하였습니다. 모두들 못 먹고 못 입고 하여 기진맥진하였으므로 행여나 살아날 희망이라도 있다면 그래도 죽자 살자 끌고 가려고 하겠지만, 아무 희망도 없는 반시체들을 끌고 갈 필요도 없고, 사실 끌고 갈 기력도 없어서 그대로 남겨두고 행진하려는 것이었습니다.

"아무리 병자라도 끌고 가라고 명령하지 않았는가."

'호랑이'는 소리를 질러댔습니다.

"살아날 희망이 전혀 없는 자라고 판단하였기 때문이오."

미군 책임자가 대꾸하자, '호랑이'는 악을 쓰며 말하였습니다.

"죽은 시체라도 끌고 가라고 명령하지 않았는가. 인민공화국 사령관에게 반항하는가. 나는 너희들을 죽일 권리가 있다. 미국에서도 반항하는 자는 죽이지 않는가."

그러자 우리의 책임자는 다음과 같이 응수하였습니다.

"미국에서는 재판하지 않고는 함부로 죽이는 일이 없다."

'호랑이'는 감시병들을 향하여 말하였습니다.

"인민군에게 반항하는 자를 우리가 죽일 수 없단 말인가."

그러자 울분과 증오에 찬 그들은 고함을 쳤습니다.

"다 죽여라, 죽여."

판결은 이미 끝났습니다. 한국에서 40년을 지낸 어느 통역관이 무릎을 꿇고 능숙한 한국어로 그를 살려주도록 '호랑이'에게 간청하였으나 이미 판결은 끝난 것이었습니다.

젊은 터키 아가씨는 그 살기등등한 광경을 보고 울먹이면서 빌었습니다.

"죽이지 마십시오. 죽이지 말아주십시오."

하지만 '호랑이'는 내뱉었습니다.

"너도 가만히 있지 않으면 죽여버리겠다. 잠자코 있어."

사형 받을 사람들은 평온하고 냉정한 태도로 조금도 겁먹은 표정을 드러내지는 않았으나, 그들의 마음 속은 과연 어떠하였겠습니까? 그들은 결혼한 남편이요, 아버지일 것입니다. '탕' 권총이 불을 뿜었습니다. 그의 몸이 쓰러지지 않도록 미군 포로들은 뒤로 달려가서 시체를 가슴에 안고 거기서 조금 떨어진 곳에 옮기어 돌로 시체를 가렸습니다.

감시병들은 말했습니다.

"길이 몹시 험하니 좋은 신을 꺼내어 잘 신으라."

하지만 좋은 신이 어디 있겠습니까. 멕틸드 수녀님은 그래도 신발 같은 것을 신어서 다른 사람보다는 나았으나, 원장 수녀님은 방에서 신는 가르멜 수녀의 여름용 샌들을, 어떤 수녀님은 철사줄로 꿰맨 신이라서 걸을 때마다 발을 꼭꼭 찔리었으며, 어떤 수녀님 한 분 역시 샌들을 신었고, 또 수녀 한 분은 나막신을 신었습니다. 이런 차림으로 준령을 넘어야 하는 그 어려움을 무슨 말로 다 표현할 수가 있겠습니까. 숨은 가빠 헐떡거리고, 좀 천천히 가려면 총대로 등을 쿡쿡 찌르는 등 마치 짐승을 몰아대는 것처럼 무자비하게 으르렁대는 것이었습니다.

"빨리 가라. 빨리빨리."

왜 이렇게 빨리 가라고 몰아대는지 알 수 없었습니다. 우리들에게 자유를 주기 위해 유엔군이 가까이 쫓아오고 있기 때문이었을까요.

마리 멕틸드 수녀님은 좀 기운이 있어 보이는 두 사람에게 부축되어 걸었습니다. 그의 몸은 꽁꽁 얼어 마치 죽은 사람의 살빛 같았습니다. 그래도 낙오되지 않고 목적지까지 가려고 있는 힘을 다 내었습니다.

핸 신부님과 성공회 부주교님은 신경통으로, 한 발짝을 내딛기 위해서는 말 그대로 영웅적인 노력이 필요하였습니다. 성공회 수녀원의 원장 수녀님이 허리를 꺾어 붙이시고 가시는 모습은 참으로 처절했습니다. 거대하신 우신부님을 부축하시고 가던 뷀토 신부님은 너무나도 지치셔서 끝내 힘을 회복하지 못하셨습니다. 벨리데타 수녀는 등에는 무거운 짐을 지고도 잠시도 쉴 새 없이 앞을 못 보시는 수녀님을 부축해 갔습니다.

이날(11월 1일) 밤, 촌락 어느 헛간 아래서 옥수수를 조금 받아먹고 묵었습니다. 지대가 높은 탓인지 어젯밤보다 더 추위를 느꼈습니다. 멕틸드 수녀님은 옆의 수녀님께 청하였습니다.

"참으로 춥습니다. 내 옆구리가 얼어들어오니 내 곁에 좀 가까이 오십시오."

똑같이 언 몸이니 어떻게 무슨 방법으로 조금이라도 녹여드릴 수 있었겠습니까.

으제니 수녀님은 베아트릭스 원장님을 위하여 어떤 민가에 가서 일흔일곱이나 되신 노인을 위해서라고 설명하며, 더운물 한 사발만 주면 고맙겠노라고 청하여보았습니다. 매몰찬 그 여자는 실컷 조롱만 퍼붓고 나서 문을 탁 닫아버렸습니다.

"무엇 하러 한국에 왔어. 그 할미."

바로 이 집은 공산주의자들의 집회소였습니다. 물론 이런 대접에 익숙해진 우리는 조금도 놀라지는 않았습니다.

가마니는 우리들에게 참으로 귀한 것이었습니다. 이불과 요로 쓰던 그 얻기 어려운 귀중한 가마니였건만, 너무나 기진맥진하여 미군 포로들도 길가에 던져버리고 따라갔습니다.

우리들의 허리띠에 걸린 소중한 묵주도, 너무나 지쳐 한 걸음 내딛는 데도 굉장히 무겁게만 느껴졌습니다. 섭섭하기 짝이 없었으나 어찌할 수 없이 우리 다섯은 모두 묵주를 떼어 가지고 한데 모아 아무도 눈치 채지 못하게 어떤 밭고랑에 고이 숨겨두고 갔습니다. 감시병은 짐들을 버리고 생명을 구하라고 거듭거듭 외쳤습니다. 이 참혹하고 몸서리쳐지는 행진 중에 얼마나 많은 미군 포로들이 생명을 잃어버렸는지 그 수를 헤아릴 수도 없을 정도였습니다.

산비탈에 쓰러져 누워 있는 포로 여럿을 만났습니다. 이들은 기운이 없어 신음하듯이 우리에게 물었습니다.

"차 좀 안 오나."

신부님들은 그 앞을 지나가시면서 전대사를 주셨습니다. 소대장 하나가 우리 뒤에서 기관총으로 아직 숨이 끊어지지 않은 포로들에게 한 방씩 쏘아대면 '호랑이'는 발로 차서 낭떠러지에 떨어뜨렸습니다. 이 비참한 광경을 아무리 기억에서 멀리하려 해도 생생하게 떠오릅니다.

11월 4일 토요일 아침에 총소리를 세어보았더니, 열여덟 번이었습니다. 백여 명이나 되는 귀중한 목숨이 이 산 속에서 버려진 것이었습니다.

밤늦게야 다음 수용소로 도착한 우리들은 즉시 발뒤꿈치를 세우고 꿇어앉고, 남자들은 모자를 벗고 경례하여 경의를 표하면서 '호랑이'의 강연을 들어야만 했습니다. 그는 인민군 사령관의 본색을 드러내는 웅변을 토하는 것이었습니다. 자본주의 국가에 대한 비판과, 우리들의 소위 잘못이란 것을 들춰내며 신바람이 나서 연설했습니다.

호랑이가 말하는 것을 롤드 씨가 영어로, 아일랜드 부공사가 러시아 말로 통역하였습니다. 이 행진 중 가르멜 수녀들과 바오로회 수녀들은 성모송과 묵주의 기도를 꽃다발로 만들어 길가에 뿌렸습니다.

"거룩하신 천주의 모친이시어, 고민하는 우리를 도우소서, 불행한 당신 자녀들을 도우소서, 마지막 시간이 닥쳐온 우리를 위하여 비소서."

이튿날 밤은 산에서 또는 옥수수밭에서, 셋째, 넷째 밤은 어떤 학교에서 지냈으나, 너무 자리가 좁아서 잘 수가 없었습니다.

아침에 원장 수녀님께서 나무 잎사귀를 긁어모으러 나갔다가 나뭇가지 사이로 하얀 것이 보이기에 가까이 가보았더니, 미군 포로의 얼어 죽은 시체 여러 구가 뒹굴고 있었습니다.

11월 3일 금요일
아, 그 누구도 이날을 잊을 수 없을 것입니다. 프랑스 공사는 아침에 떠나기 직전, 베아트릭스 원장님과 멕틸드 수녀님과 또 한 분 수녀님과 우신부님을, 우리 일행이 찾아올 때까지 인민군 병원에서 머물러 있게 해달라는 간청을 하였습니다. 이들 가운데는 마리 글라라 성공회 수녀원 원장 수녀님도 있었습니다.

우리 일행이 떠나는 것을 그들이 전송하려는 순간, 그 '호랑이'가 달려들더니 허가를 준 분대장에게 먼저 노발대발하고 나서는 모두 다 같이 걸어가라는 호령을 내리는 바람에 조금 호사나 해볼까 했던 꿈은 산산이 깨어지고 말았습니다. 인민군 병원이라는 것은 한구석에 총살하는 자리가 마련된 장소였습니다. '호랑이'의 잔인성은 우리들에게는 오히려 다행한 일이었습니다. 베아트릭스 원장 수녀님은 혈액 순환이 원활하지 못해 손발이 붓는 심장병 증세를 나타내었습니다. 그럼에도 불구하고 극히 용맹한 그 수녀님은 다시 길을 떠났으나 조금 걸어가시다 말고, 하는 수 없이 주저앉고 말았습니다. 빨리 일어나 걸어가기를 독촉하는 감시병들에게 평소에 보여주었던 온화한 태도로 되풀이하였습니다.

"나는 더 이상 못 가겠습니다."

"가고 싶어도 정말 더 못 가겠습니다. 내가 하고 싶은 대로 하게 내버려두십시오."

그리고 또 역시 평온하신 어조로 동료 수녀에게 말씀하셨습니다.

"수녀님, 떠나십시오. 둘이 다 희생될 필요는 없습니다. 순명의 덕으로 명합니다. 어서 떠나가십시오."

할 수 없이 수녀님들은 그분을 감시병들의 손아귀에 맡긴 채 억지로 발길을 옮겨야만 했습니다. 베아트릭스 원장 수녀님의 생애가 반사되는 듯한 그 자애 깊으신 시선, 어지신 미소를 우리는 다시 못 보게 되었습니다. 많은 고아를 기르시던 그 뼈아픈 노고를 기쁜 마음으로 참으시던 그의 꽃다운 일생은 이와 같이 참혹한 희생으로 사도직의 화관을 받으실 아름다운 최후를 마련하셨던 것입니다.

둘째 희생자는 러시아 부인(57세)이었습니다. 종아리가 퉁퉁 부어올라왔으나 다음 수용소까지 가까스로 도착하여 옥수수로 점심 요기를 하였습니다. 그러나 그 다음 수용소에 도착하고 보니까 그 부인의 모습은 보이지 않았습니다.

11월 4일 토요일

새벽에 눈이 펑펑 쏟아지기에 행여나 무쇠처럼 무거운 다리를 좀 쉴 수 있으려나 하고 기대해보았으나 어쨌든 길을 떠나야만 했습니다. 눈이 우리 머리 위로 펑펑 쏟아지며 발목까지 빠질 만큼 쌓여갔습니다. 산길은 더욱 미끄러웠으며 바람에 살을 에듯 하였습니다. 숨은 차고 가빴습니다. 목이 타는 듯이 말라 가시덤 불에 달린 고드름을 따서 목을 축였습니다.

드디어 감시병은 어떤 초막에 머물게 하여주었습니다. 그러나 좀 앉아 쉬기 위해서도 많은 손질이 필요하였습니다. 겨우 손질을 막 끝내자 다시 길을 가야 한다는 것이었습니다.

소달구지가 하나 왔으나 서로 먼저들 타서 자리가 없어 멕틸드 수녀님은 거기에도 타시지 못했습니다.

어른들과 떨어지지 않으려고 아우성치는 가엾은 아이들. 그들에게 무슨 죄가 있겠습니까. 터키 부인과 백계 러시아 부인은 등에 아기를 업고서 초인적인 노력으로 높은 산을 넘는 것이었습니다. 아기는 춥고 배가 고파 울어댔습니다.

우리는 이 비참한 행진이 끝나기를 원하였으나 비정하게도 계속되기만 하였습니다. 우리 뒤에서는 유엔군이 쫓아오는 소리가 펑펑 하고 들렸습니다.

가르멜의 수녀님 한 분은 발이 너무나 부르터서 더 걸을 수 없게 되었습니다. 그래서 베아트릭스 원장 수녀님과 같은 운명이 될 것을 생각하며 죽음을 준비하고 있었습니다. 이 순간 죽음이란 참으로 우리의 친한 벗인 양, 그의 방문이 오히려 기다려지는 것이었습니다.

마음씨 좋은 감시병도 더러는 있어, 우리에게 친절을 보이며 인간적 동정을 베풀어주었습니다.

오후에 감시병은 우리 곁에서 함께 묵묵히 걸어가다가 이윽고 침묵을 깨뜨리며 부탁하였습니다.

"당신들이 전쟁이 끝나 본국으로 돌아가면 오늘 아침에 일어난 미군 포로 학살 사건만은 말하지 마시오."

한번은 가르멜 수녀 한 분이 짐을 가지고 험한 준령을 넘을 수 없어서 도와달라고 청하니까 그 감시병은 즉시 짐을 받아 지고 재를 넘었습니다. 또 가르멜의 어느 수녀님께서 산골짜기 냇물이 흐르는 길가의 눈 위에서 좀 쉬어 가자며 허가를 청하니까 그는 15분 동안 누워 쉴 수 있도록 허락해주었습니다.

11월 4일 저녁

여자와 노인들을 위해서는 트럭 두 대가 준비되었으나 남자들은 끝까지 걸어가야만 했습니다. 멕틸드 수녀님과 원장 수녀님, 그리고 마들렌 수녀님은 첫번 트럭에 태워주었습니다. 새벽 1시경 중강진 읍내에 도착하였습니다. 감시병들도 우리를 어디로 끌고 가며, 어디로 인도해야 할지 모르는 모양이었습니다. 캄캄한 거리를 백 미터쯤 오른쪽으로 끌고 가더니 다시 뒤로 돌아서 왼쪽으로 가자고 하였습니다. 그러나 보다 했더니 또다시 오른쪽으로. 멕틸드 수녀님은 그만 넘어지는 바람에 무릎을 다쳤습니다.

약 두 시간 동안을 중강진 거리에서 이리저리 끌려다니다가 어떤 큰 학교에 이르렀습니다. 그러나 학교 숙직원이 놀라서 쉽사리 문을 열어주지 않으므로 한참 서로 시비를 하고 있었습니다.

이튿날 두번째 트럭으로 앙리에트 수녀님과 벨리데타 수녀님과 으제니 수녀님이 도착하셨습니다. 긴 궤짝 하나에 둘씩 누워야 하므로 한번 누우면 움직일 수도 펼 수도 없었습니다.

이곳에서는 어찌나 엄하게 구는지 궤짝 위에서 내려오지도 못하게 하고 종일 앉아 있어야 하며 눕지도 못하게 하고 말도 못하게 하였습니다. 터키 어린이가 채소를 좀 훔쳐왔다 해서, 그 벌로서 일동에게 한 끼니의 식사를 주지 않고 불도 못 피우게 하였습니다.

그들의 악랄한 사업의 결과인 죽음이 시작되었습니다. 성공회 수녀원 원장 마리 글라라 수녀님은 밤사이에 짚더미 위에서 심장 마비로 돌아가셨습니다.

11월 8일 수요일

걸어오던 남자들이 도착하여 기뻤습니다. 그러나 '호랑이'와 같이 왔기 때문에 기쁨은 반으로 줄어들었습니다. '호랑이'는 여전히 호랑이였습니다. 조금도 부드러워진 데가 보이지 않았습니다. 더구나 이번 행진에 잘 복종치 않았다는 이유로 더욱 엄하게 취급한다는 것이었습니다.

우리는 매일 반시간씩 체조하러 운동장으로 나가야만 하였는데, 우신부님께서는 위독하게 되어 이 모임에 불참하였습니다. 그러나 '호랑이'에게는 이유가 필요치 않았습니다. 빨리 전원 출석하라고 호령하므로 신부님들께서는 하는 수 없이 우신부님을 가마니 위에 눕혀 가지고 운동장 구석에 모시었습니다. 그날 아침은 영하 30도였습니다. 오후, 우신부님께서는 신부들이 지켜보는 가운데 즐겁게 작별하시고 하느님의 품으로 영원히 떠나셨습니다. 그의 영혼은 보기 드문 기력을 가지셨습니다. 돌아가시기 조금 전에 고통에 시달려 허약하고 기진하셨을 때에도, 두서너 번 되풀이하시며 크게 부르짖으셨습니다.

"오, 천주여, 당신께로 가기 위해서는 얼마나 고통을 당해야 하겠습니까."

57년 동안 꾸준히 헌신하시고 이제는 모든 짐을 벗고 천상 도성에서 주님과 함께 사는 영광을 가지신 것입니다.

신부님의 장례를 지내는 동안, 연합군은 우리가 있는 학교를 심하게 폭격하였습니다. 적만 있는 줄 알았지, 설마 자기 형제들이 있는 줄이야 꿈에도 생각하지 못했을 것입니다. 신부님의 묘를 파던 사람들은 옆의 숲속으로 피신했습니다. 이때 뼛속까지 파고드는 매서운 바람과 추위로 그만 구신부님께서는 기관지염과 폐렴을 일으켜, 우리는 이분마저 돌아가시지나 않을까 하여 염려하였습니다.

11월 12일

가르멜 수도원 지도 신부이신 공신부님께서 죽음의 차례가 왔습니다. 당신도 임종 시간이 가까워진 것을 깨달으시면서도 우신부님의 임종에 일어나시어 참례하셨습니다. 고통을 당할 때 서로 돕기를 약속하셨던 까닭이었습니다. 이렇게 마지막 시간까지 사랑의 의무를 다하셨습니다. 이것은 그의 생활의 법칙이었습니다. 그의 형제 사랑의 정신을 누가 다 말할 수 있겠습니까. 자기를 위해서는 아무것도 남길 줄 모르셨지만 우리 가르멜을 위해서는 얼마나 헌신하셨던 것입니까. 멕틸드 원장님께서는 수도원 설립 당시 그 많은 어려움 가운데서도 적극 수도원을 도와주신 은인 신부님께서 임종하시는데도, 너무 기운이 없으셔서 당신 자신의 몸 하나도 지탱을 못 하시니, 가보시지도 못하고 다만 마음속으로만 매우 애통해하셨습니다. 데레사 원장 수녀님은 그 곁에 가시어 신부님께서 천국에 가시면 우리 모든 이를 위하여 천주님께 전달해주시기를 부탁하셨습니다. 신부님께서는 말씀을 못 하시나 모두 알아들으신 것 같았습니다. 어린이처럼 맑고 깨끗한 푸른 눈으로 주위를 둘러보셨습니다. 그러나 건강하셨을 때의 초롱한 눈의 정기는 없어졌습니다. 동생 신부님은 슬픔을 걷잡지 못하시고 눈물을 흘리며 말씀하셨습니다.

"형님, 하느님께로 가시게 되었습니다. 서러워하지 마십시오. 하느님께서는 형님을 맞이하실 좋은 자리를 준비하시고 계실 것입니다. 항상 당신을 잘 섬기셨기 때문입니다. 천국에 가시면 우리들이 잘못한 것에 대하여 용서를 청하여주시고 빨리 저를 불러 오십시오. 형님, 옆방에 있는 프랑스 공사가 왔습니다. 형님, 당신의 조국 프랑스를 보시는 것 같으시지요."

이 말씀을 들으시고 나서 신부님은 아무 고통도 없으신 듯 마지막 숨을 고이 거두시었습니다. 이 훌륭한 선교사의 수단과 그 품속의 십자가를 가지려고 서로들 야단이었습니다.

동생 되시는 공신부님께서는 이질로 고생하셨으나 죽음의 행진 후에는 다른 사람들보다 병의 기색은 덜 보이셨는데도 불구하고 이튿날 형님을 따라 주님께로 떠나셨습니다. 형님 공신부님께서 연옥을 잠깐 거쳐 보속하신 후 하느님 대전에 나아가 진복을 누리시며 동생을 위하여 전구하신 것같이, 즉, 한평생 주님의 뜻을 따른 종의 기도를 하느님께서 들어주신 것처럼 우리들은 생각했습니다.

우리는 난로불을 조금 피우고, 설익어서 설컹설컹하는 옥수수알을 조금씩 받았습니다. 멕틸드 수녀님은 치아가 쑤시고 잇몸에서 피가 나오므로 더 잡수실 수 없었습니다. 그러니 점점 쇠약해질 수밖에 없었습니다. 폐렴은 재발되고 기침은 가슴이 찢어지는 듯이 낮에도 밤에도 계속되었습니다. 사랑하는 자의 괴로움을 옆에서 지켜보면서도 어떻게 도와줄 수 없는 그 고통보다 더 큰 고통이 또 어디에 있겠습니까.

마당에 우물은 있지만 물이 말라서 병자의 빨래까지도 해드리기 어려웠습니다. 프랑스 공사는 3킬로미터나 되는 강까지 손수레를 끌고 나무통에 물을 길어오곤 하였습니다. 그러나 도중에서 물은 꽁꽁 얼어붙고 한 수레 싣고 온 것을 7백여 명이 마시려 달려드는지라, 각자에게는 겨우 작은 양재기로 반 정도밖에 돌아가지 않았습니다. 목이 말라 마셔버리면 얼굴도 손도 닦을 수 없고, 얼굴을 씻으면 마실 것이 없어지는 것이었습니다. 미국 아가씨는 냉수를 마시기로 하고 배춧국으로 세수하고 손을 씻기로 결정하였습니다.

11월 16일 아침

다른 곳으로 이동하라는 명령이 떨어졌으나, 병자들만은 기다렸다가 무엇이든지 탈것이 온 다음에 떠나기로 허가를 얻었습니다. 앞 못 보는 수녀와 멕틸드 수녀님은 이들 가운데 남게 되었습니다.

원장 수녀님은 앙리에트 수녀님과 벨리데타 수녀와 더불어 먼저 떠나셨습니다. 많이 걷지 않고 쉬기도 하였으나 밖에는 조금도 나가지 못하게 하였습니다. 그날은 그곳에서 지내고 밤 11시쯤 다시 출발 명령이 내렸습니다. 아주 건강한 벨리데타 수녀의 팔에 기대어 밤길을 30리쯤 걸어가셨습니다.

새로운 수용소가 될 어떤 민가 앞에 머물게 하더니 그제야 비로소 그 집에 살고 있는 사람들을 내쫓는 것이었습니다. 우리를 수용할 준비를 미리 해놓지 않았다가 항상 갑자기 달려드니, 이래서야 그 집 사람들이 어떻게 이사할 겨를이 있다는 것입니까.

밤에 달려들어 집주인을 깨워 아주 필요한 것만 들고 다른 집으로 얼른 옮기라고 내쫓는 것이었습니다. 아무리 빨리 이사를 한다 하더라도 자다 말고 갑자기 몇 분 만에 집을 비워준다는 것은 도저히 될 수 없는 일이었습니다. 그들이 이삿짐을 꾸리는 두서너 시간 동안 꽁꽁 언 몸으로 마당에서 쭈그리고 앉아서 기다리는 바람에, 원장 수녀님께서는 얼마 후에 돌아가실 병을 여기에서 얻게 되었습니다.

보통 민가의 방 하나에 스무 명가량이나 들어가려니까 어디

앉을자리가 있을 리가 있겠습니까.

　그동안 멕틸드 수녀님은 어떻게 지내고 있었는지를 말하겠습니다. 11월 16일 하루 동안 수련장님과 단둘이서, 1939년에 창립이라는 큰 사명을 띠시고 한국에 와서 한마음으로 서울 가르멜을 설립한 후로 10여 년 만에 지금 이런 시간에 다시 둘이만 남게 되어, 프랑스 엘 가르멜에서 기쁘게 지내던 추억, 마음속에서 우러나오는 마음의 대화 등으로 다정한 시간을 보내게 되었습니다. 때로는 침묵으로 지내기도 하였으나 역시 이 침묵의 시간이 서로 이야기를 나눌 때보다 더욱 깊이 마음이 통하는 것을 깨달았습니다. 근심스러운 이 시간에 모든 것을 다 버리고, 주님께 맡겨드린 그들의 영혼은, 지난 모든 추억을 말보다는 고요 속에서 더욱 잘 주고받을 수 있다는 것을 느꼈습니다. 저녁에 간호원이 주사약으로 치료를 해주어서 밤에 주무실 수 있었습니다. 아침이 되니 남아 있는 사람들도 다 걸어서 여기를 떠나야 한다는 명령이 내렸습니다. 남아 있고 싶으면 남아 있어도 상관치 않겠다는 것이었습니다. 즉 먹을 것을 주지 않겠다는 말이었습니다.

　멕틸드 수녀님은 수련장님께 말씀하셨습니다.

　"나는 가다가 길에서 죽을 것입니다."

　그러자 수련장님은 대답하고는 서로 죽음을 준비하셨습니다.

　"저는 더 걷지 못하겠습니다. 할머니(원장직을 사직하신 후에 이렇게 불렀음). 죽음을 두려워하십니까?"

"나는 과실이 있습니다마는 두려워하지 않습니다. 아기가 아버지의 품으로 돌아가는 것과 같은 심정입니다. 그분의 자비가 무한하시다는 것을 저는 믿고 있습니다. 만일 당신이 원장 수녀님과 우리 작은 자매들을 다시 보시게 되면 나의 잘못에 대해 용서를 청하여주십시오. 아마 당신도 살아서는 돌아가지 못하시겠지만 혹시나 다시 우리 아이들(수녀들)을 만나는 행복을 가지게 되면 내가 얼마나 그들을 사랑하는지 전해주시고, 마음으로 축복을 보낸다고 전해주십시오."

미군 포로들에게 양쪽으로 부축되어 마당까지 나왔을 때 탈진한 가련한 모습을 본 감시병은 좀 불쌍히 생각되었는지 좁쌀을 실은 소달구지에 멕틸드 수녀님과 수련장님을 올라타게 했습니다. 그러나 어떻게나 산길이 험한지 떨어지지 않도록 두 수녀님을 모두 잡아매어야만 하였습니다. 몸은 얼어오고 절벽 같은 산길을 내려갔다 올라갔다 하고 흔들릴 때마다 할머니는 신음하셨습니다. 도착할 때는 이미 임종이 시작되었습니다. 모든 이에게 큰 감격을 일으켜주었습니다. 이미 아무 말도 하실 수 없게 된 할머니께 자리를 내어 눕게 해드렸습니다. 이미 혼수 상태에 들어가신 듯, 주위의 사정은 아무것도 모르시게 되었습니다. 주인집 아이들이 울고 싸우고 야단법석을 해도 모르시는 것이 다행이었습니다. 영혼은 점점 육신을 떠나려 하였습니다. 신부님 한 분이 경본을 가지고 계셨으므로 할머님 곁에 모여서 임종자의 경문을 작은 소리로 염하고 임종 전대사를 드렸으나, 의식은 물론 없으셨습니다.

이튿날 11월 18일 밤 11시까지 이런 상태가 지속되었습니다. 치명적 고통으로 순결하여진 그분은 감미로운 희망이었던 천국의 영원한 평화를 즐기시러 무한하신 사랑 속으로 고이고이 떠나가셨습니다.

이튿날 데레사 원장 수녀님께서는 옆구리가 아프기 시작하여 매우 통증을 느끼시며 열이 좀 있으신 데다가 식사를 조금도 드시지 못하시었습니다. 우리는 또 걱정하지 않을 수 없었습니다. 이때 음식이라고는 반찬은 물론 소금도 없는 깡조밥뿐이니 무슨 방법으로 구미를 돋우어드리고 약한 위가 소화를 할 수 있도록 해드릴 수 있을까 하고 걱정하였습니다. 점점 옆구리는 심하게 통증을 일으켜 신음하시게 되었습니다. 의학 공부를 하신 신부님 한 분이 진찰하여보시고 늑막염은 아니니 염려하지 말라고 말씀하여주셨습니다. 아스피린이 있으면 드리라고 하였으나 그때 약이라고는 아무것도 없었습니다. 원장 수녀님께서는 마지막 시각이 이르렀다고 말씀하셨으므로 우린 그런 말씀 마시고 용기를 가지시라고 애원하였습니다.

수녀님께서는 이제 주님께로 가게 될 것이라고 하시며, 서울 수도원으로 가게 되면 어떻게 어떻게 하라는 것을 유언하시는 것이었습니다.

11월 28일

새벽에 열이 몹시 오르기에 조금 시원하게 해드리고자 우리는 수건을 냉수에 적시어 이마 위에 놓아드렸습니다. 그날 저녁 똑똑한 발음으로 강복을 주시고 난 후, 몇 분이 지나 다시 말씀드리려고 하니까 벌써 의식을 잃으신 듯, 우리가 무슨 말을 여쭙는지 알아듣지 못하셨습니다. 밤 9시, 모든 희망이 다 사라진 뒤에 그제야 간호원이 와서 강심제라고 하며 주사를 한 대 놓았습니다.

우리는 가지고 있는 옷이고 무엇이고 다 모아서 깔아드렸지만 별로 신통치 못하였고, 이미 움직이지도 못하시고 의식이 있는 기미는 조금도 없었습니다.

"원장 수녀님, 우리 말이 들리시면 우리의 손을 잡으십시오" 하고 여쭈어보았으나 아무 대답도 없으셨습니다. 멕틸드 수녀님처럼 아무 의식이 없으신 가운데 전대사를 받으셨고, 우리는 곁에서 슬픔이 복받쳐오르는 가운데 위로인 기도만을 바치고 있었습니다. 벌써 옆에서 떠드는 것도 모르시고 영혼은 딴 세계에 계시다는 것을 느꼈습니다. 캄캄한 어둠 속에서 눈물은 우리의 두 뺨 위로 한없이 흘러내렸습니다. 완전히 기진하시어 마지막 숨을 모으기 시작하시더니 점점 호흡이 짧아지고, 신음 소리도 없이 마지막 숨을 거두셨습니다.

며칠 전에 감시병은 시계를 모두 빼앗아갔으므로, 시간을 알아보러 가보니까 새벽 2시쯤(11월 30일)이라고 하였습니다. 우리가 눈을 감겨드리지 않았는데도 눈도 곱게 감으시고 평화스럽고 고요한 수렴 중에 계시는 것 같았습니다.

담당 의사는 결핵성 뇌막염이라고 진단을 내리기는 하였으나 정확히는 알 수 없는 일이었습니다.

수용소의 남자 네 명이 시체를 들고, 다른 사람들은 연장들을 가지고 장사 지내러 갔으나 땅이 너무 얼어서 깊이 팔 수가 없었습니다. 하창리 건너편 만주 땅이 바라보이는 곳. 멕틸드 어머님 곁에 매장하였습니다. 두 분이 다 그렇게도 사랑하시던 전교 지방인 이 땅을 성화시키고자 마지막 순간까지 생명을 희생으로 바치셨습니다.

작은 두 무덤

길섶에 말없는 두 무덤
아무런 장식도 있지 않구나
메마른 땅이라서
장미야 재스민도 필 리 없으리
길섶에 말없는 두 무덤
누구도 느꺼워 손을 모으러 오지 않고
빌어줄 그 누구도 있지 않아라.

길섶에 잊혀진 두 무덤
그리스도의 십자가 이 하느님의 나무도

그 축복된 그림자를 던지지 않느니
거기 누워 있는 이 누구이뇨?
침묵만이 염포마저 없이 누운
이 몸들을 감싸줄 따름
끝없는 슬픔이여

길가에 헐벗은 무덤마다
끝없이 끝없이 사랑을 빛내느니
흙 속에 파묻혀 몰라볼 씨이어도
생명과 사랑의 그 씨앗에서
광명의 열매가 영원토록
맺어질 그날이 있으리라

길섶에 무덤과 무덤 가까이
새벽부터 우리 맘은 어린이인 양
순례자의 정성을 바치러 가노니
이 사귐에서 한결 굳세어지는 우리의 마음
그는 싸우리라 그리고
죽기까지 힘을 간직하리라.

길섶에 가엾은 두 무덤
그들은 이교의 땅을 거룩히 하느니

먼지로 돌아간 이 뼈들에서

그 어느 날 사랑은 용솟음치리니

그는 허위를 무찌르고

구세주 그리스도께

온 한국을 바치리라.

제7장　　　　　　　목요일

1

마침내 미사가 시작되었다. 십자가를 든 복사를 앞세우고 신부가 성당 안으로 들어오기 시작하였다. 평소의 미사 때와는 달리 흰 옷을 입은 수많은 복사들이 손에 촛불을 들고 행렬을 따르고 있었다.

성삼일(聖三日)의 첫번째 날이 시작되었던 것이다. 성삼일은 영어로 'Sacred Triduum' 즉, '신성한 성주간'으로 불리며 성목요일에서 부활절까지의 3일을 가리키는 용어로 목요일은 그 첫번째 날에 해당되는 예수 그리스도의 성체 성사를 제정하는 기념일이기도 하다.

그래서 '주님의 만찬 기념일'이라는 명칭으로 불리기도 하였다. 그러나 그보다도 재의 수요일부터 시작된 사순절의 시기가 거의 끝나가는 막바지의 첫날로서 이마에 재를 받은 신자가 참회를 했다는 증거로서 손에 푸른 성지 가지를 받고 영성체를 할 수 있다 하여서 '푸른 목요일'이라고도 불리는 특별한 성일(聖日)이기도 하였다.

백색 제의를 입은 신부는 향로를 들고 제단을 정화하고 있었다. 향로 속에서는 푸른 연기가 흘러나오고 있었는데 그 푸른 연기는 곧 제대 앞을 자욱하게 가렸다. 향기로운 느낌도 아니고 매캐한 느낌도 아닌 향연기가 신부가 휘두르는 리드미컬한 반동에 따라 향로에서 뭉게뭉게 흘러나오고 있었다. 신부는 향을 피우며 제대를 한 바퀴 돌았다. 성스러운 날을 기념하기 위해서 향으로 제단을 축성하고 있는 모양이었다. 마침내 신부가 십자가에 절을 하는 것으로 성목요일의 미사가 시작되었다.

그러나 미사에 참석한 그의 마음은 여전히 무거웠다. 그는 며칠 전 고백 성사를 하였지만 성사표를 찢어버리고 제출하지 않았던 쓰라린 기억을 떠올렸다. 그러므로 그는 신자로서의 의무를 다한 것은 아니었다. 아니다. 성사표를 제출하고 안 하고는 별로 중요하지 않다. 그것은 사소한 일에 지나지 않는다. 문제는 사순절 기간 동안 내내 증오심과 어두운 죄의식 속에 사로잡혀 있었다는 것이다. 공교롭게도 비록 40일의 짧은 기간이었지만 S는 그의 일상생활까지 깊숙이 파고들어 지난 주말에는 우연히 한경환의 후원회 밤에서까지 만날 수 있었다. 처음에는 우연히 끼어든 S의 존재가 시간이 흐를수록 상승 곡선의 그래프를 그리다가 마침내는 최고의 피크로 정점을 그리는 수직 상승으로까지 치솟는 느낌이었다.

그런 갈등과 증오심으로 그는 40일 동안 단 한 번도 마음의 평화를 느낄 수가 없었다. 오래전 사라졌던 악몽을 꾸던 악습도 되살아나 매일 밤마다 그는 가위에 눌리다가 비명을 지르며 깨어나곤 했었다. 그는 정말 고통스러웠다. 매 순간 고통의 바다에서 침몰하는 난파된 배처럼 그는 필사적으로 허우적거리고 있었다.

그가 마음을 다잡고 성목요일의 밤 미사에 참석한 것은 어떻게 해서든 마음의 평화를 얻으려는 절실한 소망 때문이었다. 그는 잘 알고 있었다. 성목요일은 '주님의 만찬 기념일Thursday of the Lord's Supper'이라고 불린다. 주님은 체포되기 직전까지도 제자들과 더불어 최후의 만찬을 나누어 먹고 마시며 마침내 성체 성사를 제정하였다. 이때의 장면을 마태오는 다음과 같이 표현하고 있다.

"……그들이 음식을 먹을 때에 예수께서 빵을 들어 축복하시고 제자들에게 나누어주시며 '받아먹어라, 이것은 내 몸이다' 하시고 또 잔을 들어 감사의 기도를 올리시고, 그들에게 돌리시며 '너희는 모두 이 잔을 받아 마셔라. 이것은 나의 피다. 죄를 용서하려고 내가 흘리는 계약의 피다. 잘 들어두어라. 나는 아버지의 나라에서 너희와 함께 새 포도주를 마실 그날까지 결코 포도로 빚은 것을 마시지 않겠다' 하고 말씀하셨다."

그렇다. 성목요일은 예수가 제자들과 함께 마지막으로 빵을 나누어 먹고 마지막으로 포도주를 나누어 마심으로써 살과 피의 계약을 맺은 특별한 성야(聖夜)인 것이다. 이때 맺은 계약은 미사 때마다 그대로 행해져 신자들은 성체를 영함으로써 그리스도의 살과 피를 나누어 먹는 특별한 은총을 입게 되는 것이다. 그가 마음의 갈등을 무릅쓰고 아내와 함께 성목요일 저녁 미사에 참석한 것은 신자로서의 의무보다는 그리스도의 만찬에 동참함으로써 조금이라도 마음의 평화를 얻기 위함이었던 것이다.

　과연 미사에 참석한 그는 차츰 마음이 안정되는 것을 느꼈다. 말씀의 전례가 시작되어 봉사자가 출애굽기의 제1독서를 낭독하고 사도 바오로의 고린도 1서에 나오는 주님의 성찬에 관한 제2독서를 낭독하자 그는 오랜만에 은총의 빛이 그의 마음 속으로 스며드는 것을 느꼈다. 가슴속에 촛불 하나가 밝혀진 느낌이었다. 싸늘하게 꺼져 있던 촛불 심지에 성령의 불길이 댕겨져 타오르는 것 같은 뜨거운 느낌을 그는 받았다.

　'마음의 평화를 주십시오.'

　그는 어린애처럼 마음속으로 중얼거렸다. 그러자 얼어붙었던 마음이 따뜻한 촛불의 온기 속에서 서서히 녹는 것 같은 편안함을 느꼈다. 메마르고 황폐한 대지에 촉촉한 봄비가 뿌려 새싹이 움트고 풀이 자라듯 그의 황량한 마음의 대지에서 모처럼 생기가 움트기 시작하는 느낌이었다. 그의 눈가에 물기가 젖어들고 있었다.

　마침내 신자들의 성경 봉독이 끝나고 앉았던 신부가 나와서 또다시 향을 피워 제단 위를 정화하였다. 그는 자리에서 일어섰다. 신부는 낮고 둔중한 목소리로 복음 전 노래를 불렀다.

　"주님께서 여러분과 함께."

　노래가 끝나고 신부는 두 손을 펴들고 말하였다. 그는 고개를 숙이고 받아 말하였다.

　"또한 사제와 함께."

"요한에 의한 거룩한 복음입니다."

그는 손가락을 들어 이마와 입과 가슴에 작은 십자가를 그리면서 소리내어 중얼거렸다.

"주님 영광 받으소서."

이는 신부에 의해서 낭독되는 복음의 말씀을 생각과 말과 행동을 다하여 마음에 새기고 따르겠다는 신앙의 표시였다. 신부는 천천히 요한복음을 읽기 시작하였다.

"……과월절을 앞두고 예수께서는 이제 이 세상을 떠나 아버지께로 가실 때가 된 것을 아시고 이 세상에서 사랑하시던 제자들을 더욱 극진히 사랑해주셨다. 예수께서 제자들과 함께 저녁을 잡수실 때에 악마는 가리옷 사람 시몬의 아들 유다의 마음 속에 예수를 팔아넘길 생각을 불어넣었다. 한편 예수께서는 아버지께서 모든 것을 당신의 손에 맡겨주신 것과 당신이 하느님께로부터 왔다가 다시 하느님께로 가시게 되었다는 것을 아시고 식탁에서 일어나 겉옷을 벗고 수건을 허리에 두르신 후 대야에 물을 떠서 제자들의 발을 차례로 씻고, 허리에 두르셨던 수건으로 닦아주셨다. 시몬 베드로의 차례가 되자 그는 '주께서 제 발을 씻으시렵니까' 하고 말하였다. 예수께서는 '너는 내가 왜 이렇게 하는지 지금은 모르지만 나중에는 알게 될 것이다' 하고 대답하셨다. 베드로가 '안 됩니다. 제 발만은 결코 씻지 못하십니다' 하고 사양하자 예수께서는 '내가 너를 씻어주지 않으면 너는 이제 나와는 아무 상관도 없게 된다' 하셨다. 그러자 시몬 베드로는 '주님, 그러면 발뿐 아니라 손과 머리까지도 씻어주십시오' 하고 간청하였다. 예수께서는 '목욕을 한 사람은 온몸이 깨끗하니 발만 씻으면 그만이다. 너희도 그처럼 깨끗하다. 그러나 모두가 다 깨끗한 것은 아니다' 하고 말씀하셨다. 예수께서는 이미 당신을 팔아넘길 사람이 누군지 알고 계셨으므로 모두가 깨끗한 것은 아니다, 라고 하신 것이다. 예수께서는 제자들의 발을 씻고, 겉옷을 입고 다시 식탁 의자에 앉으신 다음 제자들에게 이렇게 말씀하셨다. '내가 왜 지금 너희의 발을 씻어주었는지 알겠느냐. 너희는 나를 스승 또는 주라고 부른다. 그것은 사실이니 그렇게 부르는 것이 옳다. 그런데 스승이며 주인 내가 너희의 발을 씻어주었으니 너희도 서로 발을 씻어주어야 한다. 내가 너희에게 한 일을 너희도 그대로 하라고 본을 보여준 것이다.'"

성경 봉독을 마친 신부가 신자들을 쳐다보며 말하였다.

"……이는 주님의 말씀입니다."

"그리스도께 찬미."

그는 응답을 하고 다시 자리에 앉았다. 그리고 눈을 감은 채 오늘 복음 내용에 대한 신부의 강론을 기다렸다. 그러나 신부의 강론은 이어지지 않았다. 그 대신 뭔가 소란스러운 소음이 제대 위에서부터 들려오는 것을 그는 느꼈다. 그래서 그는 감았던 눈을 떴다. 생각지도 않았던 뜻밖의 풍경이 제단 위에서 벌어지고 있는 것을 그는 보았다. 제대 앞 낮은 계단 위에 열 명이 넘는 신자들이 이미 나와 서 있었고 성당 측의 사무원들이 의자를 갖고 나와서 그들을 계단 위에 앉히고 있었다.

열 명이 넘는 신자들은 한결같이 바지를 걷어올리고 신발을 벗고 있었다. 놀라운 것은 그들 모두가 신발뿐 아니라 양말까지 벗은 맨발이라는 점이었다.

그 순간 그는 오늘이 바로 세족례(洗足禮)가 거행되는 특별한 날임을 떠올렸다. 방금 전 신부가 봉독한 요한복음에 나오는 대로 예수께서 직접 제자들에게 애덕과 겸손을 가르치려고 제자들의 발을 씻겨준 것을 기념하기 위해서, 미사를 집전하는 신부가 선발된 열두 명의 신자들의 발을 직접 씻어주는 행위를 실천하는 예절이 세족례이다.

신부가 열두 명의 신자들을 선발하는 것은 예수께서 열두 제자들의 발을 모두 씻어준 것처럼 그와 동일한 숫자의 신자들을 선발함으로써 예수처럼 스스로를 낮추고 섬기겠다는 의지를 나타내 보이는 예식 행위이다.

따라서 성목요일을 정식 명칭으로 'Maundy Thursday'라고 부르고 있는데 이는 세족례의 의식 때 불려지는 교송 "나는 너희에게 새 계명을 주겠다. 서로 사랑하여라. 내가 너희를 사랑한 것처럼 너희도 서로 사랑하여라"의 라틴어 첫머리에서 유례된 것이었다.

세족례(洗足禮).

문자 그대로 최후의 만찬을 끝낸 직후 식탁에서 일어나 겉옷을 벗고 수건을 허리에 두르신 후 대야에 물을 떠서 제자들의 발을 차례로 씻고 허리에 두른 수건으로 직접 닦아준 예수의 겸손을 본받는 예절.

그는 순간 세족례의 예절이야말로 성목요일 저녁 미사의 하이라이트임을 깨달았다.

그는 제단 앞을 쳐다보았다.

과연 제단 위에는 선발된 열두 명의 신자가 앉아 있었다. 미사를 집전하는 주임 신부와 젊은 보좌 신부도 함께 나와 있었고, 수녀들도 이 예식을 곁에서 돕고 있었다. 열두 명의 신자들은 의자에 앉아 있었으며 주임 신부가 신자들의 발을 씻으면 보좌 신부는 이를 수건으로 닦아내렸다. 수녀들은 한 번 닦은 대야의 물을 버리고 다른 물로 바꾸고 있었고 한 번 닦아 사용한 수건 역시 다른 새 수건으로 바꾸느라 분주하게 오가고 있었다.

이미 발을 씻긴 신자들은 양말을 신고 신발을 신고서 예식이 다 끝날 때를 기다리고 있었다.

그는 제단 위에 앉아 있는 열두 명의 신자들의 면면을 살펴보았다. 고심 끝에 뽑은 신자들처럼 각양각색의 사람들이 모두 모여 있었다. 초등학교에 다니는 어린아이도 있었으며 청소년도 있었다. 대학교에 다니는 청년도 있었으며 40대의 장년층과 노인으로 보이는 백발의 신자들도 있었다. 비단 연령층의 구분뿐 아니라 계층별로도 선택되었는지 한눈에 보아도 엘리트로 보이는 사람이 있는가 하면 투박하게 보이는 블루칼라의 노동자도 있었다. 일부러 선발하였는지 한눈에 보아도 중병을 치르고 있는 환자도 포함되어 있었다. 다만 이례적인 것은 여성 신자가 한 명도 포함되어 있지 않다는 것이다.

그때였다.

제단 위에 앉아 있는 열두 명의 신자들을 한 사람씩 훑어가던 그의 시선은 맨 마지막의 사람에 이르렀을 때 포충망에 채집된 곤충처럼 꼼짝할 수 없었다.

맨 마지막에 앉아 있는 열두번째의 신자는 바로 S. 아니다. 이제 굳이 그를 S라고 부를 필요가 없는 것이다. 그는 신영철 가브리엘이었던 것이다.

신영철은 사목회장의 자격으로 열두 명의 신자 속에 포함되는 모양이었다. 그는 말쑥한 신사복에 방금 이발소에 다녀온 듯 말끔한 머리 단장까지 하고 있었다. 그는 신부가 자신의 발을 씻어주는 행위가 몹시 황송한 일이라는 것을 노골적으로 나타내 보이며 어색한 미소를 띠고 있었다. 그는 신사복 바지의 한쪽을 종아리까지 걷어올리고 양말까지 벗고 있었으므로 흰 맨발이 선명하게 드러나 보이고 있었다.

성당 측에서 행사가 있을 때마다 동원되는 전용 사진사가 신부가 한 사람씩 발을 씻을 때마다 촬영하고 있었고, 그럴 때마다 번쩍번쩍 플래시가 터졌다. 성가대에서는 계속해서 성가를 부르고 있었고, 앉아 있는 모든 신자들은 침묵으로 세족례 행위를 지켜보고 있었다.

그러나 그는 계속해서 오직 한 사람, 신영철을 지켜보고 있었다.

그는 질식할 것 같은 고통을 느꼈다.

신영철이 열두 명의 신자들 속에 선발되어 앉아 있다. 마치 예수가 선택한 열두 제자 중에서도 배반자 가롯 유다가 마지막 한 사람으로 선택되어 있듯 신영철 역시 열두 명의 신자 중 마지막 한 사람으로 선택되어 제단 위에 앉아 있는 것이다.

자기 차례가 가까워올수록 어찌할 바를 모르겠다는 겸연쩍은 미소를 만면에 띠워 올리면서. 신부님이 어떻게 제 발을 씻을 수 있겠습니까 하는 표정으로. 마치 자기 차례가 되자 "주님께서 제 발을 어떻게 씻으시렵니까. 안 됩니다. 제 발만은 씻지 못하십니다" 하고 사양하였던 베드로처럼 '신부님께서 제 발을 씻으렵니까. 안 됩니다. 제 발만은 씻지 못하십니다'라고 사양하려는 태도를 취하고 있었다.

다른 신자들도 마찬가지였다.

그들도 우리는 선발된 사람들일 뿐이고 신부가 내 발을 씻어주는 것은 하나의 요식 행위에 불과하다는 듯 신부가 수건으로 발을 닦아주면 황급히 양말을 신고 서둘러 신발을 신었다. 신자들은 한결같이 부끄러워하고 미안해하고 있었다. 그런 태도는 신영철의 차례가 가까워올 때 한층 과장되고 있었다. 신영철은 허락된다면 자신이 신부의 양말을 벗기고 신부의 발을 대신 씻어주려는 듯 부자연스런 태도를 취하면서 오히려 안절부절못하고 있었다.

아니다.

그는 순간 자리에서 일어나 소리를 지르고 싶은 격렬한 충동을 느꼈다.

너는 아니다. 너는 지금 "안 됩니다. 제 발만은 결코 씻지 못하십니다" 하고 베드로를 흉내내고 있지만 너는 가롯 유다에 불과하다. 네가 열두 명의 신자 중에 뽑힌 것은 베드로의 역할을 대신하기 위해서가 아니라 배반자 가롯 유다의 역할을 대신하기 위해서이다.

지금 너는 열두 명의 신자들 속에 앉아 있지만 네 영혼은 이미 악마에게 팔아넘겼다. 너는 악마에게 영혼을 팔아넘긴 가롯 유다인 것이다. 그런 악마가 어떻게 거룩한 제단 위에 앉아 있을 수 있단 말인가.

순간 그는 예수가 가롯 유다의 발까지 씻어주었는가 하는 의문에 사로잡히게 되었다. 예수는 제자들의 발을 씻어줄 때 이미 가롯 유다가 자신을 배반할 것을 알고 있었을 것이다.

아니 예수는 이미 오래전부터 가롯 유다가 자신을 배반할 것을 알고 있었을 것이다. 요한복음에 의하면 예수가 "나는 하늘에서 내려온 빵이다. 나는 생명의 빵이다. 이 빵을 먹는 사람은 누구든지 영원히 살 것이다. 내가 줄 빵은 곧 나의 살이다. 세상은 그것으로 생명을 얻게 될 것이다"라고 말씀하시자 유대인들은 "이 사람이 어떻게 제 살을 우리에게 먹으라고 내어줄 수 있단 말인가" 하고 따지고는 이때부터 많은 제자들이 예수를 버리고 물러갔으며 더 이상 따라다니지 않았다고 전해지고 있다. 이 장면을 요한은 다음과 같이 표현하고 있다.

"……이때부터 많은 제자들이 예수를 버리고 물러갔으며 더이상 따라다니지 않았다. 그래서 예수께서는 열두 제자를 보시고 '자, 너희는 어떻게 하겠느냐. 너희도 떠나가겠느냐?' 하고 물으셨다. 그러자 시몬 베드로가 나서서 '주님, 주님께서 영원한 생명을 주는 말씀을 가지셨는데 우리가 주님을 두고 누구를 찾아가겠습니까. 우리는 주님께서 하느님이 보내신 거룩한 분이심을 믿고 또 압니다' 하고 대답하였다. 그러자 예수께서는 '너희 열둘은 내가 뽑은 사람이 아니냐. 그러나 너희 가운데 하나는 악마다' 하고 말씀하셨다. 이것은 가리옷 사람 시몬의 아들 유다를 가리켜 하신 말씀이셨다. 유다는 비록 열두 제자 가운데 하나였지만 나중에 예수를 배반한 자였다."

예수가 직접 자신의 입으로 표현하였던 악마 가롯 유다.

그러므로 예수는 이미 제자들의 발을 씻어줄 무렵에는 가롯 유다가 잠시 후면 자신을 배반할 것을 분명히 알고 있었을 것이다.

그렇다면 예수는 그런 배반자 가롯 유다의 발도 함께 씻어주었는가. 열두 제자들의 발을 씻어줄 때 예수는 자신의 입으로 분명히 표현한 악마, 가롯 유다의 발도 함께 씻어주었는가.

마침내 주임 신부가 모든 사람의 발을 씻고 마지막 한 사람 신영철의 앞으로 다가왔다. 수녀 한 사람이 대야에 새 물을 떠왔으며 신부는 무릎을 꿇고 신영철의 발을 씻기 시작하였다. 신영철은 계속해서 겸연쩍은 미소를 얼굴에 띠워 올리고 있었다. 사진사가 번쩍번쩍 플래시를 터뜨리면서 그 모습을 촬영하고 있었다. 이윽고 주임 신부가 발을 다 씻어내리자 보좌 신부가 흰 타월로 신영철의 발에서 물기를 닦아내렸다. 그것으로 성목요일의 하이라이트인 세족례의 예절이 모두 끝난 것이었다.

그러나 그의 마음은 또다시 혼란에 휩싸이기 시작하였다. 그렇지 않아도 마음의 평화를 얻기 위해서 참석했던 목요일의 특별 미사였다. 모처럼 마음이 따스해지고 성령의 감화를 받아 촉촉하게 눈물까지 솟구쳐 나오는 은총을 느꼈던 미사였던 것이다. 그러나 그 모처럼의 평화도 세족례의 예절에 나온 신영철의 모습에서 산산조각으로 깨져버린 것이다.

신영철 가브리엘.

나는 알고 있다. 너는 가룻 유다이자 악마이다. 가룻 유다가 잠시 후면 배반하기 위해서 캄캄한 밤으로 사라져 예수를 잡을 대사제들과 바리사이파 사람들이 보낸 경비병들과 한 떼의 군인들을 데리고 손에는 횃불과 등불을 들고 나설 것을 계획하고 있으면서도 자신의 발을 예수께 맡기고 깨끗이 씻기를 기다리고 있었던 것처럼 신영철, 너 역시 인간 백정, 잔인한 방법으로 인간을 고문하고 인간의 영혼을 파괴하는 그런 악마성을 감춘 채 뻔뻔하게 사제에게 너의 맨발을 드러내놓고 발씻김을 하고 있는 것이다.

그는 더 이상 미사에 집중할 수가 없었다. 그는 미사에 참석하기 전보다 더 큰 감정의 혼돈을 느꼈다.

어째서?

그는 헐떡이면서 생각하였다.

예수는 가롯 유다의 발을 씻어주었는가. 조금 있으면 자신의 입에 배신의 키스를 할 악마. 가롯 유다의 발까지 직접 씻어주었는가. 아니다. 그보다도 예수는 어째서 배신자 가롯 유다를 열두 명의 제자 중 한 사람으로 뽑을 수 있었던 것일까. 예수가 진정 하느님의 아들이었다면 자신이 열두 명의 제자들을 직접 뽑을 때 어찌하여 "차라리 세상에 태어나지 않았더라면 더 좋을 뻔하였다"고 탄식하였던 가롯 유다를 제자로 선택할 수 있었던 것일까.

그는 혼란에 휩싸인 마음의 갈등으로 영성체를 하면서도 마음의 평화를 느낄 수가 없었다. 미사 때마다 성체를 입 안에 넣을 때 느낄 수 있었던 은은하게 풍겨오던 빵냄새와 더불어 성체가 천천히 혓바닥에서 녹아내리며 주님과 나는 하나다라는 행복한 충일감은 전혀 느낄 수가 없었던 것이다.

그의 가슴은 오히려 분노로 가득 차 있었다. 영성체 후 눈을 감고 묵상하고 있을 때 그는 문득 간디의 말을 떠올렸다.

인도의 성자 간디는 서구의 기독교인들에게 다음과 같이 말하지 않았던가.

"나는 예수를 좋아한다. 그러나 기독교인들은 좋아하지 않는다. 왜냐하면 그들은 예수를 따르고 있지 않기 때문이다."

인도의 문호 타고르로부터 '위대한 영혼'이란 칭송을 받아 마하트마 간디라고까지 불렸던 간디의 이 말은 기독교의 모순과 치부를 여지없이 드러내고 있지 아니한가. 역사적으로도 기독교인들은 그리스도교의 전파란 미명 하에 수많은 전쟁을 일으켰고, 수억의 이교도를 학살하였다. 주로 서구 사상을 중심으로 발전되어온 기독교는 이교도를 학살하고 전쟁을 일으키는 그 논리적 근거로 성경에 나오는 다음과 같은 구절을 이념으로 삼고 있었다.

"내가 세상에 평화를 주러 온 줄로 생각하지 말아라. 평화가 아니라 칼을 주러 왔다. 나는 아들은 아버지와 맞서고, 딸은 어머니와, 며느리는 시어머니와 서로 맞서게 하려고 왔다. 집안 식구가 바로 자기 원수다. 아버지나 어머니를 나보다 더 사랑하는 사람은 내 사람이 될 자격이 없고, 아들이나 딸을 나보다 더 사랑하는 사람도 내 사람이 될 자격이 없다. 또 자기 십자가를 지고 나를 따라오지 않는 사람도 내 사람이 될 자격이 없다. 자기 목숨을 얻으려는 사람은 잃을 것이며, 나를 위하여 자기 목숨을 잃은 사람은 얻을 것이다."

가장 무서운 기독교인들의 자의적인 성경 해석. 치열한 신앙 정신을 강조하기 위해서 비유하였던 예수의 말은 그러나 역사를 통하여 수많은 오류를 빚고 잔인한 결과를 초래하였다.

"세상에 평화를 주려고 온 것이 아니라 칼을 주러 왔다"는 예수의 그 말 한마디가 죄 없는 여인들을 태워 죽이는 마녀 사냥과 성도(聖都) 예루살렘을 탄압한다는 명목 하에 수천만의 이교도를 죽이는 십자군 전쟁까지 확대되는 원인이 되지 않았던가. 그리하여 서구의 열강들은 우선 전쟁으로 남의 나라를 빼앗고 원주민을 학살하여 식민지로 삼은 후 곧바로 기독교의 선교사를 파견하여 교회를 세우고 기독교를 전파한다는 냉소적인 비판을 받지 아니하였던가.

인도를 식민지로 삼았던 대영제국과 맞서 싸우던 간디는 인도의 독립을 위해 '비폭력 무저항주의'의 독립 운동을 전개하면서 기독교를 앞세운 서구 사상의 모순을 그렇게 질타하였던 것이다.

영성체 후 눈을 감고 묵상하던 그의 가슴에 간디의 말 한마디는 마치 쇠못처럼 쾅쾅 내리박히고 있었다.

신영철 가브리엘. 그는 인간 백정이었다. 정체를 알 수 없는 수사 기관의 간부로 종사하면서 그는 죄 없는 청춘들을 고문하고 영혼을 짓밟았다. 처녀들을 체포하고 성고문을 하고. 그러나 그는 독실한 기독교인이었다. 일요일에는 '그리스도 우리의 평화'란 구호가 적힌 띠를 두르고 평화의 인사를 나누었다. 한 손에는 성경을 들고 다른 한 손에는 칼을 들고서.

순간 그의 머리 속으로 오래전에 들었던 이야기 하나가 떠올랐다. 시인 K. 그는 70년대 반독재 투쟁의 상징적인 인물이었다. 그가 쓴 시는 당시 권력 주변에 기생하던 부패 집단을 통렬히 비판하고 독재 정권의 비리를 파헤치는 저항시였던 것이다. 나중에 시인 K는 '프란시스코'란 세례명으로 영세를 받는다. 그러나 K시인은 자신을 고문하였던 수사기관의 직원과 자신을 탄압하고 무자비하게 폭력을 휘둘렀던 사람들을 도저히 용서할 수 없었다. 영세받기 전에 그들을 무조건 용서하고, 지난 모든 잘못을 통회하고 고해하라는 신부의 말을 듣고 K시인은 뒷산에 올라가 술을 마시고 목이 터져라 외쳐대었다는 것이다.

"이놈들아, 이 나쁜 놈들아, 나는 너를 용서한다."

지독한 고문을 당하면서 가슴속에 차곡차곡 쌓아두었던 원한과 복수심을 화살처럼 날리면서 하나하나 그 이름을 거명하며 수백번 '용서한다' '용서한다'고 외쳐대자 웬일인지 가슴이 후련해지고 마음에는 평화가 찾아왔다는 것이다.

그렇다면, 그는 생각하였다.

나도 K시인처럼 산으로 올라갈 것인가. K시인처럼 술을 마시고 산속으로 들어가 이렇게 소리쳐 외칠 것인가.

"신영철 가브리엘. 이 나쁜 놈아, 이 더러운 새끼야. 나는 너를 용서한다. 이 더럽고 야비한 인간 백정 신영철 가브리엘. 나는 너를 용서한다."

그는 순간 머리를 흔들었다. 그는 감았던 눈을 뜨고 제단 위에 매달린 십자가상을 쳐다보면서 중얼거렸다.

"나는 그를 용서할 수 없다. 절대로절대로 용서할 수 없다. 만약에 내가 그를 성당이 아닌 다른 곳에서 만났다면 용서할 수 있었을지도 모른다. 우연히 지하철에서 만나거나 술집에서 만났더라면 어쩌면 손쉽게 화해가 될 수 있었을지도 모른다. 그러나 독실한 기독교인의 가면을 쓴 성당에서 그를 만났다는 것은 절대로 용서할 수 없는 일인 것이다."

면죄부(免罪符). 중세 로마 가톨릭 교회에서 신자들에게 죄를 사해주는 대가로 금품을 받고 발행하던 증명서. 마틴 루터에게 종교 개혁을 선언하게 하였던 결정적인 가톨릭의 치부. 그렇다면 오늘날의 가톨릭은 여전히 신영철에게 죄를 사해주는 증명서인 면죄부를 발행해주고 있음이 아닌가. 인간 백정 신영철은 일요일마다 고해 성사와 영성체를 하며 더욱더 새로운 기독교인으로 거듭나면서 새로운 신념으로 고문을 하고 새로운 생명을 얻어 폭력을 휘두른다.

영성체 후 신자들이 기도를 마친 직후에 미리 준비된 수난 감실로 성체를 모시는 장렬한 행렬 예절이 시작되었다. 촛불을 들고 입장한 순서 그대로 미사를 집전하였던 신부는 제대 위에 놓였던 십자가를 들고 성체 조배실로 퇴장하기 시작하였다. 동시에 보좌 신부가 제대를 치우고 제대 위를 덮었던 흰 천을 벗기기 시작하였다. 이제 부활절이 올 때까지 3일 간 성당 안에는 십자가가 존재하지 않을 것이다. 최후의 만찬이 끝나고 십자가에 못 박혀 피를 흘리며 돌아가신 예수가 다시 사흘 만에 부활하여 살아날 때까지 성당에는 그 어느 곳에도 십자가의 형상은 찾아볼 수가 없을 것이다. 촛불이 꺼지고 제대 위를 덮었던 흰 천도 사라지고 감실을 밝히던 붉은 불빛도 꺼지고 제단 위에 유일하게 남아 있던 수난받는 그리스도 십자가상마저 갈색 커튼이 내려와 그 모습을 완전히 가리고 있었다. 그러자 제단 위는 완전히 텅 빈 부조리 연극의 무대 세트처럼 보였다.

그는 알고 있었다.

성목요일날 미사 중에 십자가를 치우고 성체를 모셔 따로 준비된 수난 감실로 옮기는 것은 최후의 만찬을 마치고 예수께서 제자들과 함께 게쎄마니 동산으로 가서 피땀을 흘리며 기도하였던 그 수난을 기념하였던 예식임. 게쎄마니 동산에서 피땀을 흘리던 예수 그리스도 최후의 기도를 기념하기 위해서 성체를 옮기는 장엄 예절을 거행하고 있는 것이다.

이제 이 성당에는 더 이상 예수 그리스도가 존재하지 않는다.

그는 생각하였다.

아니다. 이 성당뿐 아니라 이 세상에는 그리스도가 존재하지 않는다. 이 세기말의 시대. 악의 어둠이 존재하는 이 세상이야말로 촛불이 꺼지고 십자가가 치워진 어둠이 덮인 제단과 같지 않은가.

제8장   최후의 증인

1

생각했던 대로 찾던 물건들은 세탁기 옆에 허드레 물건들을 따로 모아두는 작은 창고 속에 들어 있었다. 그는 찾던 물건들을 쉽게 발견하자 마음이 놓였다. 창고 속에는 젊었을 때 그가 쓰던 물건들이 포개어져 놓여 있었다. 얼굴을 보호하는 호면(護面)에서부터 가슴을 보호하는 갑(甲) 그리고 칼을 든 손을 보호하는 호완(護腕)과 가슴에 착용하는 호상(護裳) 등 모든 도구들이 완벽하게 보관되어 있었다.

그 모든 것들은 그가 대학 시절 열중하던 검도의 도구들이었다. 대학 시절만 해도 그는 검도 유단자였다. 대학을 대표해서 대회에 나갈 수 있을 만큼의 탁월한 기량을 가졌던 검도 2단의 검객이었던 것이다.

마르고 호리호리한 체형의 그는 겉으로 보기에는 유약하게 보였지만 손에 조그마한 막대기만 들고 있어도 서너 명쯤 한꺼번에 덤벼들어도 단번에 제압할 수 있을 만큼의 검술을 갖추고 있었다.

그는 가슴을 보호하는 호상 위에 아직도 검은 천으로 표시된 자신의 이름표가 붙어 있는 것을 보았다. 대학을 대표해서 시합에 나갈 때 사용했던 이름표가 그대로 붙어 있는 것이다. 그러나 검도 도구들은 십몇 년이 지나도록 방치된 채 한 번도 사용되지 않고 있었으므로 군데군데 녹이 슬어 있었고 갑 부분에는 퍼렇게 곰팡이가 피어 있었다.

그는 자신이 쓰던 목검이 어디 있는가를 살펴보았다. 그러나 칼은 쉽게 발견되지 않았다. 비록 대학 시절 때까지만 검도에 열중하였을 뿐 군대에서 제대를 하고 난 직후부터는 이를 멀리하였고, 결혼 후에는 아예 끊고 있었으므로 이 모든 도구들을 버릴 수도 있었다.

그는 한때 자신이 학교를 대표하는 검도 2단의 유단자였다는 사실을 자랑스럽게 생각하고 있었기 때문에 이사를 갈 때마다 검도 도구들을 소중히 챙기고 이를 버리지 않았던 것이다. 따라서 자신이 애용하던 죽도(竹刀)와 목검(木劍)이 아직도 분명히 어딘가에 있을 것이라고 확신하고 있었다.

그는 칼을 찾기 위해서 창고를 다시 뒤지기 시작하였다. 망치, 장도리와 같은 물건들과 톱, 잔디를 베는 대형 가위 등 당장 버려도 좋을 쓸데없는 물건들을 아내는 고집스럽게 보관하고 있었으므로 창고 안은 몹시 혼잡하였다.

그는 한구석에서 마침내 그가 사용하던 목검을 찾아낼 수 있었다. 검도 시합을 할 때면 주로 대나무로 만든 죽검을 사용하는 것이 보통이었다.

이때 일반인들은 118센티미터 이내의 길이와 무게는 5백 그램

이 넘는 대형 죽도를 사용하곤 했었다. 죽도는 끝이 여러 갈래로 갈라져 있었으므로 상대방을 강하게 타격해도 소리만 요란할 뿐 충격은 크지 않은 법이다. 그러나 목검은 달랐다. 목검은 길이가 죽도와 같았지만 실제의 진검(眞劍)을 연상케 하리만치 날카롭고 또한 위협적인 무기였다.

대부분의 유단자들은 시합용이 아니라 장식용으로 실제의 칼과 비슷하게 생긴 목검 하나씩은 따로 소장하고 있었다. 목검은 주로 관중들에게 검도의 무예를 시범해 보일 때나 또한 미리 각본을 짠 대련용 무예 시범을 보일 때 사용하는 일종의 전시용 칼이기도 하다.

그는 목검을 찾아내자 가볍게 심장이 뛰는 것을 느꼈다.

그는 목검의 손잡이 부분을 두 손으로 부여잡고 칼을 허공으로 치켜들어 보았다. 십몇 년 만에 잡는 목검이었지만 두 손에 힘이 불끈 솟아오르는 것을 느꼈다. 대학 시절 그는 이 검 하나만 있으면 그 어떤 상대도 두렵지 않을 정도로 날렵하고 민첩하였다.

실제로 무교동 술집에서 술 취한 경환이가 옆자리의 대학생들과 시비가 붙었을 때 그가 말리고 나섰으나 수적인 우세만 믿고 대여섯 명의 젊은이들이 한꺼번에 덤벼든 적이 있었다. 마침 비가 온 뒤끝이라 비닐 우산을 들고 있던 그는 대나무로 만든 우산대로 다섯 명의 폭력을 단숨에 제압했던 적이 있었다. 이를 본 경환이가 평소에는 유약해 보이던 그의 내면에 숨겨져 있는 민첩한 운동 신경에 대해 '일지매'라는 별명으로 불러준 적이 있었다.

'그때는 비닐 우산대 하나만으로도 다섯 명의 대학생들을 제압할 수 있었다.'

그는 목검을 허공으로 치켜들면서 중얼거렸다.

'지금도 이 목검을 사용한다면 한꺼번에 수십 명이 덤벼들어도 두렵지 않을 것이다. 비록 그동안 운동을 하지 않아 몸이 녹이 슬고, 생각만큼 몸이 따라주지 않는다 하더라도 아직도 이 목검 하나만 있으면 그 어떤 상대든 단숨에 꺾어뜨릴 수 있다.'

그는 목검을 이리저리 휘둘러보았다. 보이지 않는 가상의 적을 향하여 그는 목검으로 찌르고 목검으로 베어보았다.

그는 사람 몸의 어디어디가 급소인가를 잘 알고 있었다. 검도에 있어 공격은 타격 부위로 얼굴과 손 그리고 좌우 허리가 있고, 찌름 부위로는 목이 있다. 그러므로 바로 이 부분이 급소인 것이다. 가상의 적인 상대방의 무기를 들고 공격을 한다 하더라도 단숨에 손목을 쳐서 그 무기를 떨어뜨릴 수 있으며 그 어떤 사람이라고 할지라도 목을 찌르면 치명상을 입힐 수가 있는 것이다.

그는 목검을 신문지로 둘둘 말았다. 1미터가 약간 넘는 목검이었으므로 신문지로 둘둘 말자 마치 살이 빠져나가버린 우산대처럼 보일 뿐이었다. 이것으로 충분하다고 그는 생각하였다.

그는 미리 준비한 등산용 모자를 썼다. 주머니에는 감기 걸렸을 때 착용하는 마스크까지 들어 있으므로 결정적인 순간에는 얼굴마저 가릴 수 있을 것이다.

그는 거울 앞에 서서 주머니에서 마스크를 꺼내 얼굴에 쓰고 모자까지 눌러써보았다. 그러자 얼굴은 누군지 알아볼 수 없을 정도로 눈만 빼놓고는 완전히 가려졌다.

그는 가벼운 옷차림으로 갈아입었다. 어느 순간 상대방도 거센 반격을 취해올지도 모른다. 만약에 실수로 일격에 성공을 거두지 못한다면 상대방도 필사적으로 반격해올 것이다. 그땐 오히려 거추장스러운 옷차림은 방해가 될 것이다. 신발도 무거운 구두보다는 가벼운 운동화가 좋을 것이다. 습격은 단 한 번의 일격으로 성공을 거두어야 할 것이다. 단 한 번의 공격으로 상대방을 쓰러뜨린 후 재빠르게 현장에서 사라져버려야 할 것이다.

그는 신문지로 감싼 목검을 들고 신장에서 운동화를 꺼내 신었다. 만약에 끈이 풀릴지도 몰랐으므로 그는 천천히 운동화 끈을 여며 매었다.

그리고 그는 천천히 문을 열고 아파트를 나섰다.

처음에 염려했던 것보다는 의외로 마음이 담담하였다. 어째서 마음이 동요를 일으키지 않는 것일까. 그것이 이상할 정도였다. 지금 그는 산책을 나가는 것이 아니었다. 그는 지금 신영철에게 린치를 가하기 위해서, 그것을 행동으로 옮기기 위해서 출발하는 것이다.

지난밤 성목요일 미사가 끝나고 집으로 돌아온 후부터 그는 한숨도 잠을 이룰 수가 없고, 저녁 미사에서 신부로부터 발씻김을 받던 신영철의 모습을 마음에서 지워낼 수가 없었다.

성아우구스티누스는 이렇게 말하였다.

"예수가 제자들의 발을 씻어준 후 최후의 만찬에서 '정말 잘 들어두어라. 너희 가운데 나를 팔아넘길 사람이 하나 있다'라고 말하자 베드로의 눈짓을 받은 요한이 '주님, 그게 누구입니까?' 하고 물었을 때 예수가 직접적으로 '나를 배신한 사람은 바로 가롯 유다다'라고 대답하지 않고 다만 '내가 빵을 적셔서 줄 사람이 바로 그 사람이다'라고 애매하게 대답을 한 것은 만약 예수가 그렇게 대답을 하였더라면 시몬 베드로가 미리 가롯 유다를 죽였을지도 몰랐기 때문이다."

성아우구스티누스의 말은 정확하다. 시몬 베드로는 평소에 칼을 차고 있었다. 가롯 유다가 군인들을 앞세우고 예수를 잡으러 왔을 때 베드로가 취한 행동을 요한은 다음과 같이 묘사하고 있다.

"……이때에 시몬 베드로가 차고 있던 칼을 뽑아 대사제의 종을 내리쳐 오른쪽 귀를 잘라버렸다. 그 종의 이름은 말코스였다. 이것을 보신 예수께서 베드로에게 '그 칼을 도로 꽂아라. 아버지께서 나에게 주신 이 고난의 잔을 내가 마셔야 하지 않겠느냐' 하고 말씀하셨다."

만약 성아우구스티누스의 말처럼 예수가, 배신자가 가롯 유다임을 분명히 말하였더라면 시몬 베드로는 차고 있던 칼로 가롯 유다를 베어버렸을 것이다. 대사제의 종을 내리쳐 귀를 베어버릴 정도의 베드로라면 배신자 가롯 유다의 가슴은 충분히 베어 버렸을 것이다.

그러나 베드로는 배신자가 누구인지 몰랐다.

하지만 나는 배신자가 누구인지 분명히 알고 있지 않은가. 배신자 가롯 유다가 바로 신영철 가브리엘임을 분명히 알고 있지 아니한가.

까마득히 잊었던 대학 시절에 사용하던 목검을 떠올린 것은 바로 그 순간이었던 것이다.

배신자가 가롯 유다임을 알았다면 성아우구스티누스의 말처럼 베드로는 가롯 유다를 자신이 차고 다니던 칼로 응징하였을 것이다. 나도 마찬가지다. 신영철 가브리엘 내면에 숨어 있는 악마성의 실체를 알아낸 이상 나도 그를 응징할 것이다.

베드로에게 칼이라는 무기가 있었다면 나에게는 목검이 있지 아니한가.

그는 신문지로 싼 목검을 옆구리에 끼고 아파트 광장으로 걸어나왔다. 어둑어둑 땅거미가 내리고 있었다. 그래서 그가 광장으로 나설 무렵에는 일제히 약속이나 한 듯이 가로등에 불이 켜지고 있었다.

지난밤 그는 결심했었다.

그 누구의 힘이 아닌 내 자신의 힘으로 직접 신영철을 징계할 것이다. 그렇다면 그것은 금요일 하루밖에 시간이 없는 것이다. 왜냐하면 토요일은 부활절 전야이므로 부활절 성야에 그를 징계

할 수는 없을 것이다. 그러므로 그를 심판하는 것은 금요일 단 하루뿐이다. 실제로 가룟 유다가 목을 매어 자살한 것도 예수가 부활하기 전이 아니었던가.

성금요일.

이날은 예수의 수난과 죽음을 기념하기 위한 날이다.「보라, 십자나무 Ecce Lignum」란 장엄한 노래와 함께 사제가 십자가를 보이면 신자들은 행렬을 지어 십자가를 지나가며 경배를 드리는 십자가의 고통을 묵상하는 날이다. 예수가 십자가에 못 박히기 직전에 가룟 유다는 은전을 성서에 내동댕이치고 물러가서 스스로 목매달아 죽었다. 그러므로 내가 신영철을 심판하는 것은 오직 금요일 하루뿐인 것이다.

그는 광장을 가로질러 아파트 단지를 빠져나왔다. 그는 자신이 갈 방향을 잘 알고 있었다. 지난 낮 그는 혼자서 점심을 먹고 학교를 빠져나와 인근 상가로 찾아갔었다. 신영철의 명함을 챙겨들고서. 신영철의 사무실 위치를 확인해보기 위해서는 명함에 인쇄된 직장의 주소지를 추적할 필요가 있었기 때문이다.

다행히 신영철의 사무실은 학교에서 두 블록 정도 떨어진 멀지 않은 거리에 자리 잡고 있었다. 그래서 그는 그 거리까지 걸어갔다. 신흥 개발 지역에 자리 잡은 그 상가 거리는 급속도로 발전하고 있어 생각했던 것보다 광범위하였다. 부동산을 중개하는 복덕방에 들러서 주소를 물어보면 금방 확인할 수 있었겠지만 그는 혼자서 신영철의 사무실을 찾아 나설 수밖에 없었다. 혹시 사무실의 소재를 탐문하다가 의외의 곳에서 자신의 정체를 드러낼지도 모른다는 생각이 들었기 때문이었다.

그는 마침내 신영철의 사무실을 찾아낼 수 있었다. 상가 중에서도 가장 번화가인 네거리의 가각(街角) 한 모퉁이에 그의 사무실은 자리 잡고 있었다.

'진도물산 주식회사'

엘리베이터를 타고 올라간 5층의 한 사무실 입구에 명함에 인쇄된 회사의 이름이 내걸려 있었다. 그는 직감적으로 이 빌딩 전체가 어쩌면 신영철의 소유일 것 같다는 느낌을 받았다. 그의 생각은 정확하였다. 그는 건물로 들어가는 외벽에 건물을 완공하고 내어붙인 빌딩 이름이 붙어 있는 것을 확인할 수 있었다. 건물 이름 자체가 '진도'였다. 건물의 이름을 회사의 이름으로 사용하고 있다면 이 건물의 소유주는 바로 신영철임을 암시하고 있는 것이다.

그는 지난 낮에 확인해두었던 그 번화가로 빠르게 걸어갔다. 아직 5시 40분이었으므로 퇴근 시간까지는 20여 분 정도 남아 있었다. 그러나 그곳은 최소한 10분 정도 소요되는 거리였으므로 그는 시간을 절약하기 위해서 뛰듯이 걸었다. 퇴근 시간이 가까워오자 거리는 사람들로 흘러넘치고 있었고 상가의 불빛들과 현란한 네온의 조명들이 서서히 내리는 땅거미를 물리치고 있었다.

그는 마침내 신영철의 사무실이 있는 빌딩 앞에 섰다. 뛰듯이 걸었으므로 숨이 찼다. 그는 숨을 고르기 위해서 심호흡을 하면서 손수건을 꺼내 이마에 맺힌 땀을 닦았다. 그리고 그는 빌딩 앞 가로수에 몸을 기대고 서서 빌딩을 쳐다보았다. 모두 7층의 건물이었다. 규모는 크지 않으나 요지에 자리 잡고 있는 빌딩이었다. 어둠이 내렸으므로 모든 층의 내부에서는 밝은 불빛들이 흘러내리고 있었다. 1층은 전자 대리점이 자리 잡고 있었으므로 거리로 향한 전면은 투명하게 안이 들여다보였다. 상점 안에 전시된 수십 대의 텔레비전 영상막에서는 같은 모습의 영상들이 계속해서 흘러나오고 있었다.

신영철은 어떻게 이처럼 큰 재산가가 되었을 것인가.

그는 건물을 바라보면서 생각하였다. 아마도 그는 오래전에 그 수사 기관에서 은퇴한 것으로 보인다. 그런데 어떻게 신영철은 단시간 안에 이처럼 큰 건물을 지니고 회사를 경영하는 재력가가 될 수 있었던 것인가.

나는 그가 가진 재산에 대해서 질투하고 있는 것은 아니다.

그는 자신에게 자문자답하였다.

신영철은 태어났을 때부터 부잣집에서 태어났을지도 모른다. 어쩌면 신영철은 부모로부터 막대한 유산을 물려받았을지도 모른다. 그러나 어쨌든 그는 한때 사람을 고문하고 사람에게 폭력을 휘두르고 인간의 영혼에 씻을 수 없는 상처를 입혔던 잔인한 인간 백정이 아니었던가. 그러므로 그의 빌딩에서는 피의 냄새가 난다. 그가 가진 저 화려한 건물에서 흘러나오는 불빛에서는 인간의 비명 소리가 묻어 있는 것이다. 저 빌딩은 수많은 사람의 피와 땀, 고통과 신음 위에 세워진 신기루인 것이다.

독일의 나치는 수백만의 유대인을 죽여서 그 기름으로 비누를 만들었다. 그 뼈로 칫솔대를 만들고, 그 머리카락으로 가발을 만들었다. 그 금이빨을 녹여서 엄청난 금괴를 만들어냈다. 그것을 20세기의 야만 행위라고. 그리하여 유대인을 죽였던 전범들은 체포되어 가스실에서 처형되었다. 그렇다면 인간을 고문하고 때리고 짓밟던 신영철은 무엇을 하고 있는가. 그는 신흥 개발지의 번화가에서 빌딩을 소유하고 행복을 누리고 있는 것이다.

그뿐인가. 존경받는 지역의 인사로서 성당에서 사목회장을 맡고 있다. '그리스도 우리의 평화'란 구호가 적힌 띠를 두르고 하느님을 찬양하고 있다.

목검을 쥔 그의 손이 와들와들 떨려왔다. 그는 살의를 느꼈다.
『죄와 벌』의 주인공 라스콜리니코프는 사회의 쓰레기라고 증오하면서 전당포 노파를 살해한다. 그러나 그 노파는 다만 전당포의 노인일 뿐이었다. 먹고살기 위해서 손님들의 물건을 저당잡고 그 이자로 먹고사는 불쌍한 노인에 불과한 것이었다. 그 노인을 라스콜리니코프는 사회의 기생충이라고 증오하면서 무참하게 살해한다. 그러나 신영철은 먹고살기 위해서 손님의 물건을 저당잡던 노파가 아니다. 그는 오직 먹고살기 위해서만 사람을 고문하지 않았다.

신영철은 고문을 즐기고 있었다. 그는 고문을 통해 쾌락을 즐기던 사디스트였다. 그는 고통 받는 인간의 신음 소리를 즐기면서 커피를 마시고, 쇼팽의 소나타를 듣던 가학성 변태자였다. 아아 생각난다. 그 무자비하던 물고문 끝에 신영철은 그의 앞에서 쇼팽의 폴로네즈에 맞춰서 책상을 피아노 건반처럼 두드리고 있었지. 폐쇄 회로를 통해 미정의 벌거벗은 몸을 보는 그의 얼굴에는 동물적인 쾌락이 번질거리고 있었다.

죽여버리겠다.

그는 입을 악물면서 빌딩의 입구를 노려보았다.

그는 잘 알고 있었다. 빌딩에는 두 개의 출입구가 있었다. 하나는 사람들이 드나드는 정면의 출입구이고, 또 하나는 주차장으로 연결되는 후면의 비상구이다. 그러나 어떤 경우라도 거리와 연결된 도로로 빠져나오기 위해서는 그가 지키고 있는 길목을 거쳐 나가게 되어 있다.

지난 낮 그는 면밀하게 출입구를 확인해두었던 것이다.

내 반드시 너를 심판할 것이다.

그는 목검을 추스르면서 결심하였다.

인간이 인간을 심판할 수 없음을 나는 알고 있다. 오직 신만이 인간을 심판할 수 있음을 나는 잘 알고 있다. 그러나 내가 너를 심판하는 것은 단죄(斷罪)인 것이다. 나는 인간이 아닌 너의 죄에 대해서 심판하고 그 죄에 따른 벌을 집행하는 것이다. 신의 이름으로가 아닌 시민(市民)의 이름으로.

그때였다.

건물의 정면 출입구로 누군가 걸어나오는 모습이 보였다. 그는 본능적으로 그 사람의 모습이 낯이 익다고 생각하였다. 그 사람은 회전문을 한 바퀴 돌아서 건물 밖으로 나왔다.

신영철이었다. 신영철은 언제나처럼 말쑥한 차림의 정장을 하고 있었다. 그는 신영철이 승용차를 타고 퇴근할지도 모른다고 은근히 불안해하고 있었으므로 맨몸으로 걸어서 건물 밖으로 나오자 우선 마음이 놓였다. 그는 주머니에서 마스크를 꺼내 얼굴에 썼다. 그는 신영철이 날카로운 눈썰미를 갖고 있음을 잘 알고 있었다. 오랫동안 수사 기관에서 근무해왔다면 본능적으로 사람과 사물을 살피는 데 동물적인 감각을 갖고 있을 것이다.

신영철은 성당으로 전입해 온 새 신자라고 해서 나눈 첫인사만으로도 그를 기억하고 있지 아니하였던가. 한경환의 후원회 밤에서는 그의 얼굴뿐 아니라 이름과 세례명을 기억하고 직업까지도 상세하게 기억하고 있지 아니하였던가. 그러므로 신영철은 자신을 미행하는 사람의 그림자를 금방 감지해낼지도 모른다. 아무리 모자를 눌러쓰고 마스크로 얼굴을 가린다 할지라도 신영철은 어쩌면 한눈에 그의 정체를 꿰뚫어볼지도 모른다. 그러므로 조심하지 않으면 안 된다.

신영철은 잠시 하늘을 우러러보았다. 하늘에서 비라도 내리고 있는가를 손을 내밀어 확인한 다음 그는 천천히 걷기 시작하였다.

이미 완전히 어둠이 내려 있었다. 신영철은 아주 느린 걸음으로 상가를 따라 걷고 있었다. 상가의 풍경들을 구경하기도 하였고 어떤 때는 걸음을 멈추고 쇼윈도 안을 들여다보기도 하였다.

한창 인기를 끌고 있는 인형을 뽑는 자판대 앞에서는 한참을 멈춰 서서 인형을 뽑고 있는 초등학교 여자 아이들의 솜씨를 구경하기도 했다. 백 원짜리 동전을 넣으면 단 한 번, 자판 안에 가득 들어 있는 수많은 인형들을 뽑을 수 있는 권리들이 부여된다. 그러면 어린아이들은 신중하게 어느 인형이 쉽게 건져 올려질 수 있는가를 서로 상의하여 선택한 다음 기계를 작동시켜 마치 거대한 기중기로 수백 톤이 넘는 어마어마한 무게의 철근을 들어올리듯 인형을 뽑아 올리는 것이었다. 그러나 대부분의 경우 아이들은 실패를 거듭하고 있었다. 기계의 톱니 부분이 인형의 몸통과 머리통을 쥐었다가도 들어올리는 순간 어느 틈에 떨어져나가기 때문이었다. 간신히 들어올렸다 해도 인형을 출입구까지 옮겨오는 것도 쉬운 일은 아니었다. 그래서 자판기를 둘러싼 세 명의 여자 아이들은 안타까운 탄성을 지르거나 화가 나서 쾅쾅 자판기를 두들겨 패기도 하였다. 어떤 아이는 성공을 거두었는지 가슴에 곰 인형을 품고 있었다.

신영철은 오랫동안 여자 아이들이 노는 모습을 지켜보았다. 여자 아이들이 동전이 떨어져서 물러가려 하자 신영철은 자신의 주머니에서 동전을 꺼내 여자 아이들에게 주고 계속하라고 말을 건네기도 하였다. 신영철이 준 동전이 행운을 불러왔는지 여자애 하나가 인형을 뽑아내었다. 여자 애들은 한사코 싫다는 신영

116

철에게 그 인형을 주었다.

신영철은 그 인형을 한 손으로 잡고 다시 천천히 걷기 시작하였다. 신영철이 무심코 인형의 배를 눌러대었는지 인형의 입에서 '잘 자, 내 꿈 꿔'라는 목소리가 흘러나왔다. 그것은 한창 유행하고 있는 CF의 대사였는데 신영철은 느닷없이 흘러나온 소리에 깜짝 놀란 듯하였다. 잠시 후 소리의 정체를 알아차린 듯 신영철은 혼자서 웃었다. 그리고 천천히 상가를 따라 걷다가 그 인형을 패스트푸드를 팔고 있는 상점 앞에 서 있는 꼬마아이에게 선물로 주었다. 어린아이는 처음에는 낯선 사람으로부터 선물을 받아들고 경계하는 몸짓이었으나 곧 고맙다고 신영철에게 인사를 하였다.

그 순간 그는 지금 신영철이 어디로 가고 있는가를 알 수 있었다. 신영철이 지금 가고 있는 방향은 성당으로 가는 방향과 일치하고 있다. 그렇다면 지금 신영철은 저녁 미사를 보기 위해서 성당으로 가고 있는 것이었다.

어째서 그것을 생각 못 하였을까.

그는 계속 신영철을 쫓아 걸으면서 생각하였다.

신영철은 신자로서 마땅히 참석해야 하는 성금요일 미사에 가기 위해서 지금 성당으로 가고 있는 것이다. 그는 어젯밤 성목요일 미사에서도 신영철을 성당에서 만나지 않았던가. 성당 안에서 사제로부터 발씻김을 하고 있던 신영철의 파렴치한 모습도 보지 않았던가. 더구나 신영철은 신자에게 모범이 되어야 할 사목회장이 아니었던가. 그렇다면 신영철이 성목요일 미사에 참석하는 것은 당연한 일인 것이다.

그는 시계를 보았다.

6시 15분이었다. 저녁 미사는 7시부터 시작된다. 아직까지 한 시간 정도 남아 있는데 어째서 신영철은 이렇게 일찍 성당으로 가고 있는 것일까. 남은 시간을 조절하기 위해 천천히 걷고 아이들의 놀이까지 구경한다고 하더라도 이 상가에서 성당까지는 10분도 채 걸리지 않는 가까운 거리가 아닌가.

그 순간 그는 오늘이 성금요일로 미사 시작 30분 전에 신자들이 함께 모여 '십자가의 길'을 함께 바치고 기도하는 날임을 떠올렸다.

십자가의 길.

예수가 사형 선고를 받은 후 십자가를 지고 갈바리아 산으로 가는 동안 일어났던 열네 가지의 중요한 사건을 성당 안에 걸린 성화(聖畵)를 따라 하나하나 지나가면서 예수의 수난과 죽음을 묵상하며 바치는 십자가의 길. 영어로는 이를 'Way of the Cross'라고 부른다. 바로 오늘의 성금요일 미사가 예수의 수난과 십자가를 위해서 죽음을 기념하는 행사였으므로 '십자가의 길'을 하는 것은 당연한 일인 것이다.

그렇다.

그는 생각하였다.

신영철은 지금 성금요일 미사에 참석하기 위해서 성당으로 가고 있는 것이다. 미사 시간보다 30분 전에 도착하기 위해서 빨리 출발한 것은 미사 시작 전에 행하는 '십자가의 길'의 기도회에 참례하기 위함인 것이다.

그의 예상은 적중했다.

신영철은 상가에서 비껴 서서 어두운 거리를 지나 언덕 위에 서 있는 성당으로 걷기 시작하였다. 성당으로 올라가는 언덕길 은 십자가의 길에 참석하려는 신자들로 가득 메워져 있었다.

예수의 수난을 묵상하는 가장 좋은 기도로 특별히 사순절에 널리 행하여지는 '십자가의 길.' 예수가 십자가에 못 박혀 죽기 전 그 수난의 길에 동참하기 위해서 신영철은 평소보다 30분 더 일찍 성당에 도착한 것이다. 그는 신영철이 성당 안으로 들어가 는 모습을 끝까지 눈으로 확인하였다. 그러나 그는 신영철을 따 라 성당 안으로는 들어갈 수 없었다.

나는 성금요일 미사에 참석하기 위해서 이곳에 온 것은 아니 다. 나는 자객(刺客)이다. 나는 시민의 이름으로 신영철을 심판 하기 위해서 이곳까지 따라온 테러범이다. 그러한 내가 어떻게 성당 안으로 신영철을 따라 들어갈 수 있겠는가.

그는 성당 앞에 마련된 작은 놀이터에 앉아서 성당을 지켜보 았다. 인근 아파트에 사는 주민들을 위해 꾸며놓은 작은 휴식 공 간인 놀이터에서는 성당의 모습이 한눈에 들어왔다. 성당 내부 에서 뿜어져 나오는 밝은 불빛으로 인해 채색 유리를 통해 흘러 나오는 울긋불긋한 채광이 어두운 성당 뜨락에 넘치고 있었다.

방금 십자가의 길이 시작되었는지 성가 소리와 함께 십자가를 든 사제가 성당 벽에 걸린 십사처를 따라 옮길 때마다 합창하여 기도하는 신자들의 목소리가 성당 밖으로 선명하게 새어나오고 있었다.

'예수 사형 선고 받으심을 묵상합시다.'

사제의 목소리가 들려오고 '주모경'을 외우는 신자들의 기도 소리가 둔중하게 흘러가는 강물 소리처럼 들려오고 있었다.

그는 잘 알고 있었다.

'예수 사형 선고를 받음'으로 시작되는 십자가의 길은 '예수 십자가를 짐' '예수 기진하여 넘어짐' '예수와 성모 서로 만나심' '시몬이 예수를 도와 십자가를 짐' '성녀 베로니카 수건으로 예수의 얼굴을 씻어줌' '기력이 쇠한 예수 두번째 넘어짐' '예수 예루살렘 부인들을 위로하심' '예수 세번째 넘어지심' '악당들이 예수의 옷을 벗기고 초와 쓸개를 마시게 함' '악당이 예수를 십자가에 못 박음' '예수 십자가에서 죽음' '제자들이 예수의 성시(聖屍)를 십자가에서 내림' '예수 무덤에 묻힘'의 14개 장면으로 나뉘어 진행하게 되어 있다. 그중 '예수와 성모 서로 만나심' '성녀 베로니카 수건으로 예수의 얼굴을 씻어줌'의 장면은 성서에 나오지 않는 장면으로 이 두 부분만 빼어놓으면 모두 성서에 나오고 있는 장면을 순서대로 엮어놓은 것이다.

그 순서에 따라 예수가 십자가에 못 박혀 죽을 때까지의 고통을 함께 묵상하고 그 고통에 함께 참여하기 위해서 십자가의 길을 기도하고 있는 것이다.

이 '십자가의 길'의 기도는 예수의 부활을 기리는 사순절의 절정인 것이다. 오늘이야말로 예수가 십자가에 못 박혀 죽는 인류가 낳은 가장 어두운 암야(暗夜)인 것이다.

그는 벤치에 앉아서 열린 성당 안에서부터 들려오는 신자들의 합송(合誦) 소리를 귀 기울여 들었다. 예수는 사형 선고를 받고 마침내 십자가를 지고 갈바리아 산을 오르기 시작한다.

이때 예수가 사형 선고를 받는 장면을 마태오는 다음과 같이 기록하고 있다.

"……총독이 '이 두 사람 중에서 누구를 풀어달라는 말이냐' 하고 묻자 그들은 '바라빠요' 하고 소리 질렀다. 그래서 '그리스도란 예수는 어떻게 하면 좋겠느냐' 하자 모두들 '십자가에 못 박으시오' 하고 소리 질렀다. 빌라도가 '도대체 그 사람의 잘못이 무엇이냐' 하고 물었으나 사람들은 더 악을 써가며 '십자가에 못 박으시오' 하고 외쳤다. 빌라도는 그 이상 말해봐야 아무 소용 없다는 것을 알았을 뿐 아니라 오히려 폭동이 일어나려는 기세이므로 물을 가져다 군중 앞에서 손을 씻으며 '너희가 알아서 처리하여라. 나는 이 사람의 피에 대해서는 책임이 없다' 하고 말하였다. 군중은 '그 사람의 피에 대한 책임은 우리와 우리 자손들이 지겠습니다' 하고 외쳤다. 그래서 빌라도는 바라빠를 놓아주고 예수를 채찍질하게 한 다음 십자가에 처형하라고 내어주었다."

그렇게 시작된 십자가의 행진은 갈바리아의 해골산에 이르기까지 세 번 정지된다. 무거운 십자가를 진 예수가 세 번을 쓰러졌기 때문이었다. 이때 시몬이 예수를 도와 십자가를 대신 졌는데 이때의 장면을 루가는 다음과 같이 기록하고 있다.

"……그들은 예수를 끌고 나가다가 시골에서 성안으로 들어오고 있던 시몬이라는 키레네 사람을 붙들어 십자가를 지우고 예수의 뒤를 따라가게 하였다."

키레네 사람 시몬.

그는 예수를 알지도 따르지도 않았던 시골 사람이었다. 그는 우연히 그 자리에 있다가 지쳐 쓰러진 예수를 대신하여 십자가를 진 것뿐이다. 그는 무작위로 선택된 억울한 사람이었다.

그렇다면 나도 마찬가지가 아닌가.

그는 신자들의 합송을 따라 십자가의 길 한 장면 한 장면을 묵상하면서 생각해보았다.

나야말로 키레네 사람 시몬과 같은 존재가 아닌가. 나 역시 학생 운동과는 전혀 상관없던 우연히 시골에서 성안으로 들어오고 있던 지나가는 행인에 불과하였다. 방관자였던 내게 그들은 느닷없이 십자가를 지게 하였다. 그들에게는 십자가가 영광이었을지 모르지만 내게 있어 그 십자가는 씻을 수 없는 상처였다. 전혀 상관없던 내게 강제로 십자가를 지게 했던 악마. 그가 바로 신영철인 것이다. 이때 예수는 자신의 모습을 보고 가슴을 치며 통곡하는 여인들을 돌아보며 이렇게 말을 한다. 이 장면이 십자가의 길 14장면 중에서 8번째 장면을 이루고 있는 것이다.

"……예수께서는 그 여자들을 돌아보시고 '예루살렘의 여인들아, 나를 위하여 울지 말고 너와 네 자녀들을 위하여 울어라. 아기를 낳지 못하는 여자들과 아이를 낳아보지 못하고 젖을 빨려보지 못한 여자들이 행복하다고 말할 때가 이제 올 것이다. 그때 사람들은 산을 보고 우리에게 무너져내려라 할 것이며 언덕을 보고 우리를 가려달라 할 것이다. 생나무가 이런 일을 당하고도 마른 나무야 오죽하겠느냐' 하고 말씀하셨다."

말을 마친 예수는 마침내 세번째 쓰러진다. 기진하여 쓰러진 예수의 옷을 벗기고 악당들은 주사위를 던져 예수의 옷을 나누어 가진다. 예수의 옷을 네 몫으로 나누어서 한몫씩 차지한다. 그러나 속옷은 위에서부터 아래까지 혼솔 없이 통으로 짠 것이었는데 그들은 의논 끝에 그것을 찢지 말고 누구든 제비를 뽑아 차지하기로 하여 그대로 한다. 그리고 예수는 모든 것이 끝났다 하시고는 '목마르다'고 말한다. 이때 마침 그곳에는 쓸개를 탄 포도주와 신포도주가 가득 담긴 그릇이 있었는데 사람들이 그 포도주를 해면에 적셔서 예수의 입에 대어준다. 그리고 예수는 마침내 못에 박힌다. 이것이 14장면 중 12번째 장면을 이루고 있는 것이다. 원래는 예수가 십자가에 못 박힌 후 그 옷을 악당들이 제비를 뽑아 나누어 갖고 예수의 입에 신 포도주를 대어주는 것이 올바른 순서인데 십자가의 길은 순서를 바꾸어 묵상하기 편리하도록 한 장면 한 장면 떼어놓은 것이다.

예수는 마침내 십자가 위에서 숨을 거둔다.

이때 예수는 십자가 위에서 몇 마디의 말을 유언으로 남긴다. 마태오는 이 최후의 말을 '엘리 엘리 레마 사박다니,' 즉 '나의 하느님 나의 하느님 어찌하여 나를 버리시나이까'라고 증언하고 있고, 루가는 '아버지 제 영혼을 아버지 손에 맡깁니다' 하였다고 증언하고 있다.

그뿐인가. 요한은 최후의 말을 다음과 같이 증언하고 있다.

"······예수께서는 모든 것이 끝난 것을 아시고 '목마르다'고 말씀하셨다. 이 말씀으로 성서의 말씀이 이루어졌다. 마침 거기에는 신포도주가 가득 담긴 그릇이 있었는데 사람들이 그 포도주를 해면에 가득 적셔서 풀대에 꿰어가지고 예수의 입에 대어 드렸다. 예수께서는 신 포도주를 맛보시고는 '이제 다 이루었다' 하시고 고개를 떨어뜨리시며 숨을 거두셨다."

이제 다 이루었다.

그것이 예수의 마지막 말인 것이다. 하느님의 아들인 예수가 스스로 사람의 아들로 태어나 이 지상에서 인간으로 남긴 최후의 유언인 것이다. 그러나 그뿐인가.

그는 깊은 상념에 사로잡혔다. 예수가 십자가에 못 박혀 죽기 직전 남긴 마지막 말이 '목마르다' '나의 하느님 어찌하여 나를 버리시나이까' '아버지 나의 영혼을 아버지 손에 맡깁니다' '오늘 네가 정녕 나와 함께 낙원에 들어가게 될 것이다' '이제 다 이루었다'의 다섯 가지 말뿐이었을까.

아니다.

그는 강하게 머리를 흔들었다.

한 가지의 말씀이 더 남아 있다.

예수가 십자가 위에서 남긴 마지막 말. 인류의 죄를 대신해서 무죄한 예수가 십자가에 못 박혀 죽으면서 자신을 십자가에 못 박은 인류에게 외치는 마지막 증언. 그 증언을 루가는 이렇게 기록하고 있는 것이다.

"……해골산이라는 곳에 이르러 사람들은 거기에서 예수를 십자가에 못 박았고 죄수 두 사람도 십자가형에 처하여 좌우편에 한 사람씩 세워놓았다. 예수께서는 '아버지, 저 사람들을 용서하여주십시오. 그들은 자기가 하는 일을 모르고 있습니다' 하고 말씀하셨다."

자기가 하는 일이 무엇인지 모르는 어리석은 인간들에게 보내는 그리스도 최후의 유언. 그것이 바로 예수 그리스도가 남긴 십자가 위에서의 여섯 말씀 중에서 가장 마지막 유언인 것이다.

"아버지, 저 사람들을 용서하여주십시오. 그들은 자기가 하는 일을 모르고 있습니다."

그 순간, 십자가 위에서 행하였던 예수의 마지막 말을 떠올린 순간 그의 가슴 속으로 번쩍이는 섬광이 일었다.

어째서.

그는 두 손으로 머리를 부여잡으면서 생각하였다.

예수는 하느님께 용서를 청하였던 것일까. 일찍이 베드로가

'주님, 제 형제가 저에게 잘못을 저지르면 몇 번이나 용서해주어야 합니까. 일곱 번이면 되겠습니까?' 하고 묻자 예수는 '일곱 번씩뿐 아니라 일곱 번씩 일흔 번이라도 용서하여라' 하고 대답하였다. 그렇게 말한 예수가 어찌하여 형제의 잘못을 자신의 이름으로 용서하지 않고, 하느님의 이름을 빌려 아버지께 '저 사람들을 용서하여 주십시오' 하고 간청하고 있는 것일까. 이것은 분명 모순이 아닌가.

그뿐인가.

예수는 제자가 "주님, 저희에게도 기도를 가르쳐주십시오" 하고 말하자 이렇게 가르쳐주지 않았던가.

"너희는 이방인들처럼 빈말을 되풀이하지 말아라. 그들은 말을 많이 해야만 하느님께서 들어주시는 줄 안다. 그러니 그들을 본받지 말라. 너희 아버지는 구하기도 전에 벌써 너희에게 필요한 것을 알고 계신다. 그러므로 이렇게 기도하여라.

하늘에 계신 우리 아버지
온 세상이 아버지를 하느님으로 받들게 하시며
아버지의 나라가 오게 하시며
아버지의 뜻이 하늘에서와 같이
땅에서 이루어지게 하소서
오늘 우리에게 필요한 양식을 주시고
우리가 우리에게 잘못한 일을 용서하듯이
우리의 잘못을 용서하시고

우리를 유혹에 빠지지 않게 하시고 악에서 구하소서

나라와 권세와 영광이 영원토록 아버지의 것입니다. 아멘."

이 기도는 예수 그리스도가 우리들에게 직접 가르쳐주신 기도로서 '기도 중의 기도'인 것이다. 때문에 이 기도문을 주의 기도 Lord's Prayer라고 부르고 있다. 성서의 모든 핵심이 이 짧은 기도문에 깃들어 있는 것이다. 이 기도문에 나오는 앞의 세 가지는 하느님의 영광에 대한 것이고 나머지 네 가지는 하느님의 도움을 청하는 내용으로 이루어지고 있는데 그중에서도 가장 중요한 부분은 '용서(容恕)'의 구절이다.

"우리가 우리에게 잘못한 일을 용서하듯이 우리의 잘못을 용서하시고"의 구절이야말로 주기도문의 골수로, 이를 설명하기 위해서 예수는 다음과 같은 말을 덧붙이고 있다.

"……너희가 남의 잘못을 용서하면 하늘에 계신 아버지께서도 너희를 용서할 것이다. 그러나 너희가 남의 잘못을 용서하지 않으면 아버지께서도 너희의 잘못을 용서하지 않을 것이다."

그러나, 그는 머리를 부여잡고 고민하면서 생각하였다.

우리에게 직접 기도문을 통해 하느님께 드리는 기도를 가르쳐준 예수는 자신을 십자가에 못 박은 그들을 용서하지 않았다. 그는 십자가 위에서 "나는 너희들을 용서한다"고 최후의 유언을 남기지도 않고 "아버지 저 사람들을 용서하여주십시오. 그들은 자기가 하는 일을 모르고 있습니다" 하고 부르짖었다.

어찌하여 예수는 자신이 해야 할 용서를 하느님께 미루고 있는 것일까. "일곱 번씩 일흔 번이라도 용서하여라"고 베드로에게 말하였던 예수가 어째서 자신을 못 박아 죽인 원수들을 자신의 힘으로 용서하지 못하고 하느님의 힘을 빌려 용서를 청하고 있는 것일까.

마침내 '십자가의 길' 기도가 끝이 난 모양이었다. 연이어 성금요일 미사가 열리고 있었는지 신자들은 성당 밖으로 나오지 않고 있었다. 오히려 더 많은 신자들이 성당 안으로 들어가고 있었다.

그는 담배를 피워 물었다.

그는 심리적 혼란을 느끼고 있었다.

주의 기도문대로 내가 신영철을 용서하지 않는다면 하느님 아버지께서도 나의 잘못을 용서하지 않을 것이다. 그러나 나는 신영철을 용서할 수 없다.

어째서 자신이 한 일을 모르고 있는 그를 용서할 수 있겠는가. 신영철에게 자신이 한 일과 저지른 죄를 깨닫게 해주는 것이 오히려 그를 각성시켜주는 것이 아닌가. 그는 순간 손에 들고 있는 목검을 거머쥐면서 중얼거렸다.

"나는 반드시 오늘 밤 너를 단죄할 것이다. 신의 이름으로가 아닌 시민의 이름으로. 그리고 나서야 나는 너를 용서할 것이다."

2

저녁 7시에 성금요일 미사가 시작되었다. 어둠이 내리자 날씨가 쌀쌀해졌는지 성당의 문이 닫혔으므로 성당 안에서 들려오는 노랫소리가 선명하게 들려오지 않았다. 그는 계속해서 담배를 피워 물면서 성당을 지켜보고 있었다.

순간 그의 머리 속으로는 장미카엘라 수녀가 보내주었던 가르멜 수녀들의 북한 피랍기인 『귀양의 애가』에서 읽은 책의 내용이 떠올랐다.

'죽음의 행진'

눈먼 마리 마들렌 수녀는 혹한의 한겨울에 동토의 땅 중강진에 이르는 수백 킬로미터의 얼음길을 맨발로 걸어간다. 이때 동료 수녀들이었던 마리 멕틸드와 데레사 수녀는 죽음의 행진 중에 목숨을 잃는다.

이 '죽음의 행진'에 대해 또 다른 증언자인 옐 으제니 수녀는 자신이 기록한 소책자 『한 수녀가 겪은 3년 간의 북한 포로기』에서 다음과 같은 의미심장한 표현을 하고 있다.

"아아, 이 공산주의자들은 우리에게 얼마나 혹독하게 갈바리아 산을 기어오르게 하였던지 우리 성직자들은 이 갈바리아의 십사처를 모두 겪었다. 나는 주님께 기도하였다. 주님께서 이렇게 많은 희생을 기억하시어 인간에게서 양심의 자유를 박탈하는 이 잔인무도함을 종식시켜주시고 또한 인간으로 하여금 권력이 마음대로 뒤흔드는 도구가 되지 않게 하기를."

갈바리아 산.

이 산은 예수가 십자가를 지고 못 박혀 죽을 때까지 올랐던 산의 이름인 것이다. 그러므로 옐 으제니 수녀가 "우리 성직자들은 이 갈바리아의 십사처를 모두 겪었다"고 표현한 것은 자신들이 겪었던 '죽음의 행진'이 주님께서 십자가를 지고 갈바리아 산을 오르는 '십자가의 길'의 14장면을 모두 재현한 것으로 보았던 것이다.

이는 옐 으제니 수녀뿐이 아니었다.

마리 마들렌 수녀도, 또 다른 『나의 북한 포로기』를 쓴 셀레스탱 코요스, 한국 이름으로는 구인덕 신부도 그의 포로기를 통해 그 혹독한 '죽음의 행진'을 예수가 십자가를 지고 갈바리아 산을 오르는 '십자가의 길'의 재현으로 보고 있었던 것이다.

그들은 예수가 사형 선고를 받듯이 6·25 전쟁 중에 체포되어 이유 없이 죄인 취급당한다. 예수가 갈바리아 산을 기진하고 지쳐서 세 번이나 쓰러지듯 그들은 영하 40도가 넘는 혹한의 땅에서 수없이 죽고 쓰러졌다. 악당들이 예수의 옷을 벗기고 그 옷을 제비 뽑아 나누어 갖듯이 공산주의자들은 그들의 옷을 벗겼으며 악당들이 예수의 입에 쓸개를 탄 포도주와 신 포도주를 대어 조롱하듯이 공산주의자들은 한 톨의 옥수수로 그들을 조롱하고 굶주림으로 그들의 인성을 파괴하였다. 그리고 악당들이 예수의 손과 발에 못을 박아 죽이듯이 수많은 사람들을 죽이고 살해하였다.

특히 이 '죽음의 행진'을 지휘한 수용소장은 '호랑이'라고 불리는 사람으로 그들이 경험한 악인 중에서도 가장 잔인한 악마였다.

이미 마리 마들렌 수녀가 기록한 『귀양의 애가』에 나오는 '호랑이'에 대해서 『나의 북한 포로기』란 기록으로 프랑스 한림원으로부터 아카데미 프랑세즈 상을 수상하였던 구인덕 신부는 이보다 더 사실적으로 묘사하고 있다.

"아침식사로 삶은 옥수수알 몇 개가 배급되었는데 식량 배급이 끝나기도 전에 '호랑이'는 행진 명령을 내리고 전날의 위협을 되풀이하였다. 그러나 우리들 중 아무도 그가 자기 말을 실천에 옮기리라고는 감히 생각지 않았다. 그래서 육군 중위는 그의 말을 듣지 않았다. 즉 떠나면서 육군 중위는 밤 사이에 죽은 자들 외에 너무 약해서 일어설 수 없는 세 명의 친구 포로들을 그곳에 남겨둔 것이다. 소장은 중대를 멈추게 하더니 미군 소대장들을 불러들였다.

'너희 중에 세 명의 환자들을 남겨둔 사람이 누구야.'

그러자 나뭇단을 어깨에 멘 젊은 육군 중위가 나서며 '나요'라고 대답했다.

'야, 넌 네 군인 형제들이 길에 쓰러져 남아 있는데도 건방지게 나뭇단을 져. 미국에서는 소장에게 불복종한 장교를 어떻게 하지.'

당황한 장교가 대답하였다.

'재판을 하여 그가 벌을 받을 만하면 처형합니다.'

그러자 '호랑이'는 말했다.

'인민공화국에서는 그렇지 않아. 즉석에서 처형하지. 내 별을 봐라. 나는 내 맘대로 너를 살릴 수도 있고 죽일 수도 있다구. 네 손수건을 이리 내.'

소장이 그의 두 눈을 가리고 등 뒤로 손을 잡아매는 동안 다른 소대장들은 이 노한 미치광이를 누그러뜨리려 애를 썼다.

'이놈들아, 조용히 해. 안 그러면 너희들도 쏠 거야.'

그때 패주하다 우연히 그곳을 지나가던 인민군 두 사람에게 소리쳐 말하였다.

'내 말을 듣지 않는 이 미국 놈들을 어떻게 하지?'

그러자 그들이 외쳤다.

'죽여요, 죽여.'

소장은 우리에게 '저쪽을 보고 있어'라고 외쳤다. 그러나 나는 그가 눈치 채지 않게 하며 똑바로 앞을 바라보았다. 소장은 총알 두 개를 장교의 목덜미에 쏘아 넣었다. 나는 불이 머릿속으로 들어갔다가 얼굴로 나오는 것을 두 번이나 보았다. 중위는 마치 움직이지 않는 한 덩어리처럼 픽 쓰러졌는데 그의 친구들이 가까이 다가가 상처 입은 형제를 위해서 하듯이 그의 시체를 거두었다. 소장은 화를 내면서 말하였다.

'발로 그를 냇물 속에 밀어넣어. 그리고 조약돌로 덮어. 자,

이제 앞으로 가.'"

'호랑이.' 자신의 총으로 직접 사람의 목덜미를 쏘아 죽인 살인마 호랑이. 수십 명의 성직자들과 743명의 군인들 중 겨우 140명만 살려 남길 만큼 잔인하였던 살인마. 옐 으제니 수녀도 이 '호랑이'에 대해서 다음과 기록하고 있다.

"……갑자기 나는 호송원들이 '환자를 포함하여 모두들 떠나시오'라고 외치는 충격적인 고함 소리를 들었다. 그것은 '호랑이'라고 불리는 호송 책임자의 되풀이되는 명령이었다. 그는 고함치며 말하였다.

'쓰러져 죽을 때까지 걸으시오.'"

쓰러져 죽을 때까지 걸으라는 호랑이의 명령은 세 번이나 기진하여 쓰러진 예수의 몸에 채찍을 날리던 로마 병사의 그것과 무엇이 다를 것인가. 자신의 손으로 즉결 처분을 하던 살인마 '호랑이.' 그가 가룟 유다와 무엇이 다를 것인가. "다 죽여라, 죽여"를 외치는 인민군 병사와 "십자가에 못 박으시오" 하고 외치는 유다인들의 고함 소리는 무엇이 다를 것인가.

'호랑이'의 잔인성은 구인덕 신부가 쓴 『나의 북한 포로기』 속에 더욱 생생하게 기록되어 있다.

"……놀랍게도 어느 날 호랑이는 이렇게 말하였다.

'이제까지 너희가 아팠다면 그것은 전적으로 너희 잘못이다. 너희는 스스로를 돌볼 줄 몰라. 그러니까 이제는 내가 너희를 돌보겠다.'

과연 그는 모든 병의 원인을 찾아내었는데 그에 의하면 우리가 체조를 하지 않고 신선한 공기를 마시지 않는 것이 원인이라고 하였다. 우리는 죽어가는 사람들까지 하나의 예외도 없이 모든 사람이 추운 바깥에서 강제로 운동이라는 것을 해야 한다는 사실을 이미 경험으로 알고 있었다.

체조 시간에도 미군 포로들의 운명은 우리 민간인의 운명보다 훨씬 가혹한 것이었다. '호랑이'는 교단에 올라가서 직접 체조를 주재했다. 그는 미군들이 입고 있는 얇은 하복마저 벗고서 체조를 하게 했다. 극심한 추위 속에서의 이 아침 체조는 많은 사람들에게 사형 선고나 다름없었다.

노역만큼 어려운 일은 없었다. 무장한 간수들이 지켜보는 가운데 우리 앞을 지나가던 미군들은 시체의 무게에 짓눌려 비틀대며 걸었다. 벌거벗겨진 시체들은 두 사람의 어깨에 걸쳐진 장대에 매달려서 좌우로 흔들렸다. 날마다 우리는 이 슬픈 광경을 보았다. 사망자들이 굉장했던 것이다. 하루에 예닐곱 명씩 이따금은 열두 명이나 되는 포로들이 죽었다. 군사들은 웅덩이를 팔 수가 없어서 시체를 언 땅 위에 내려놓고는 눈으로 덮었다. 눈이 녹으면 그때까지 썩지 않고 완전하게 보존되던 시체들은 개나 새들의 먹이가 되었다."

그 순간 그는 새로운 사실들을 떠올렸다.

그 혹독했던 '죽음의 행진'에서 살아남은 세 사람이 기록한 책 속에서 그 살인마 '호랑이'에 대한 증오와 적의가 밖으로 표출되고 있었던가. 740명의 군인 중 겨우 140명만 살아남은 그 지옥의 살육 현장에서도 그 어떤 사람도 호랑이를 저주하는 사람은 없었다. 오히려 그들은 처참하게 죽어가면서도 하느님을 찬양하고 있었던 것이다.

구인덕 신부는 관부장 수녀였던 '베아트릭스' 수녀의 마지막 모습을 이렇게 감동적으로 묘사하고 있다.

"……드디어 으제니 수녀가 왔다. 혼자서 눈물을 흘리고 있었다. 무슨 일이 생긴 것일까. 으제니 수녀는 몹시 애통해하면서 베아트릭스 수녀의 마지막 모습을 들려주었다.

'관부장님이 내 팔에 기대어 있는데 세 명의 간수가 혹독하게 우리를 몰아붙였어요. 수녀님은 심장이 몹시 뛰었지만 간수들은 아랑곳하지 않고 계속 걸으라고 명령했어요. 수녀님이 탄식하여 말하였어요.'

'이봐요, 간수님들. 어제는 쉬도록 허락해주셨는데 당신들에게는 어머니도 없나요.'

우리는 천천히천천히 걸었어요. 포로 수송차가 사라진 지는 벌써 오래전이었구요. 이 꼬불꼬불한 길에 우리 둘만 남은 거예요. 그들은 우리를 떼밀며 '빨리빨리' 하고 고함쳐 우리를 들볶았어요. 그러자 베아트릭스 수녀님이 말하였어요.

'더 이상은 못 가겠어요. 원하시면 나를 죽이세요.'

그분은 길가에 멈춰 섰는데 그 모습은 마치 임종을 한 것 같았어요. 그분은 낮은 목소리로 평소 좋아하시던 기도를 되풀이하셨어요.

'양선하시고 너그러우신 어머니, 마리아여. 원수들의 손아귀에서 나를 보호하소서. 임종 때 나를 받아들이소서.'

간수 하나가 나 혼자 행진을 계속하도록 독촉했지만 나는 반항했어요. 그때 베아트릭스 수녀님이 온화하고 평화로운 모습으로 가만히 내게 말하였어요.

'앞으로 가시오, 사랑하는 수녀님. 앞으로 가요.'

나는 몇 발짝 가다가 되돌아가 그녀를 다시 한 번 껴안았어요. 그때 간수들이 우리 둘 사이에 끼어들며 나를 앞으로 떠다밀었어요.

으제니 수녀가 첫번째 모퉁이를 돌자마자 들려오는 총성은 마침내 베아트릭스 수녀님이 이 세상을 떠났다는 것을 알려주었다."

어떻게 그럴 수가 있는 것일까.

그는 벤치에 앉아서 깊은 상념에 사로잡혔다.

자신을 죽이려는 원수를 향해 "마리아여, 원수들의 손아귀에서 나를 보호하소서"라고 기도를 할 수 있을 것인가. 그리고 잠시 후 총에 맞아 피살당할 것을 알면서도 온화하고 평화로운 모습으로 "앞으로 가시오, 사랑하는 수녀님. 앞으로 가시오" 하고 말을 할 수 있을 것인가.

이 살인마. '호랑이'에 대해서 구인덕 신부는 아무런 감정이 개입되지 않은 담담한 문장으로 다음과 같이 기록하고 있을 뿐이다.

"죽음의 행진에서 어떠한 일이 생겼는지를 평양 당국이 풍문으로 전해 들은 것이었을까. 많은 포로들의 죽음에 책임을 져야 하는 '호랑이'는 소환당했으며 곧 지위를 잃고 옥에 갇히게 되었다고 사람들이 우리에게 전해주었다."

죽음의 행진에서 살아남은 최후의 증인, 마리 마들렌 수녀와 구인덕 신부와 옐 으제니 수녀의 증언 그 어디에서도 박해하였던 공산주의자들, 일찍이 러시아 혁명의 예언자 도스토예프스키가 말하였던 "짐승이 왔다. 반(反)그리스도가 왔다"의 내용처럼 반그리스도자인 공산주의자들, 그중에서도 가장 악질적이었던 '호랑이'에 대해서 증오하거나 원망하는 구절이 단 한 군데도 보이지 않는 것이었다. 심지어 그들은 예수가 십자가 위에서 "아버지, 저 사람들을 용서하여주십시오. 그들은 자기가 하는 일을 모르고 있습니다" 하고 말하였던 것처럼 자신들을 죽음으로 몰아넣었던 '호랑이'에 대해서 '용서한다'는 말조차 사용하지 않고 있는 것이다.

그들은 한결같이 그 '호랑이'에 대해서 침묵을 하고 있었던 것이다.

증오도 용서도 아닌 침묵. 그들은 어째서 한결같이 침묵을 지키고 있는 것일까.

침묵(沈默). 그 어떤 상황에도 반응을 보이지 않고 아무런 말도 없이 입을 다물고 있는 행위.

그는 손끝까지 타들어간 뜨거운 불 때문에 깜짝 놀라 담배를 떨어뜨렸다. 그는 깊은 상념에 사로잡혀 있었던 것이다. 순간 그의 머리 속에 예수가 보였던 '침묵'에 관한 성서의 구절이 떠올랐다.

예수는 대사제들과 백성의 원로들이 보낸 군사에게 결박되어 당시 총독이었던 빌라도에게 이끌려간다. 이때 빌라도는 예수에게 "네가 유대인의 왕인가?" 하고 묻는다. 그러나 예수는 "그것은 네 말이다" 하고 대답한다. 그러나 대사제들과 원로들이 고발하는 말에는 아무런 대답도 하지 않는다. 첫번째 침묵이 시작된 것이다. 이를 이상하게 여긴 빌라도가 "사람들이 저렇게 여러 가지 죄목을 들어서 고발하고 있는데 그 말이 들리지 않느냐?" 하고 다시 물었지만 예수는 아무런 대답도 하지 않았다.

이 제2의 침묵에 대해서 마태오는 이렇게 표현하고 있다.

"……예수께서는 총독이 매우 이상하게 여길 정도로 아무런 대답도 하지 않으셨다."

예수의 침묵. 빌라도가 매우 이상하게 여길 정도로 아무런 대답도 하지 않았던 침묵. 이 침묵은 제3의 침묵으로 계속 이어지고 있다. 이 제3의 침묵에 대해서 루가는 이렇게 기록하고 있다.

"……헤로데는 예수를 보고 매우 기뻐하였다. 오래전부터 예수의 소문을 듣고 한번 만나고 싶었을 뿐 아니라 예수가 행하는 기적을 한번 보고 싶었던 것이다. 그래서 헤로데는 이것저것 캐물었지만 예수께서는 아무런 대답도 하시지 않았다."

예수의 침묵. 그 어떤 질문에도 그 어떤 고발에도 단 한마디의 변명도 하지 않았던 예수의 침묵을 세 사람의 최후의 증인들은 한결같이 본받고 있는 것이다. 그들은 자신들을 박해하고 고문하였던 공산주의자들을 향해 이상한 침묵으로 일관하고 있다. 그뿐인가. 그 잔인한 악마 '호랑이'에 대해서도 그들은 원망도 증오도 없는 침묵을 보이고 있는 것이다. 심지어 '그를 용서한다'는 말조차 아끼고 오직 대침묵으로만 일관하고 있는 것이다.

죽음을 최후의 안식처이자 고향으로 노래한 성데레사 수녀처럼 그들은 한결같이 '죽음의 행진' 속에서 기쁘게 죽음을 받아들였다. 악마들의 최고의 무기인 죽음조차도 그들은 희망으로 받아들였던 것이다. 간수로부터 총을 맞아 죽은 베아트릭스 수녀의 마지막 유언 역시 다음과 같은 기도가 아니었던가.

"양선하시고 너그러우신 어머니 마리아여. 원수들의 손아귀에서 나를 보호하소서. 임종 때 나를 받아들이소서."

순간 그의 귓가에는 다음과 같은 성서의 구절이 떠올랐다.

"승리가 죽음을 삼켜버렸다.

죽음아 네 승리는 어디 갔느냐.

죽음아 네 독침은 어디 갔느냐."

그렇다. 그들은 죽음을 물리쳐 승리를 거뒀다. '호랑이'는 그들을 죽음으로 죽였지만 결국 승리한 것은 죽음을 삼킨 그들이었다. 죽음의 행진에서 오히려 죽은 것은 '호랑이'를 비롯한 공산주의자들이었으며 패배한 것도 그들이었던 것이다.

그렇다면 나는 무엇인가.

성금요일 미사가 끝나고 있었는지 미사의 끝을 알리는 성가 소리가 흘러나오고 있었다. 그 노랫소리를 들으면서 그는 천천히 몸을 일으켰다.

그렇다면 내게 있어 신영철은 무엇인가. 그는 나를 고문하였고 영혼과 육체에 씻을 수 없는 상처를 입힌 원수다. 그러나 신영철은 나를 죽이지는 않았다. 비록 내 영혼을 파괴하고 육체를 짓밟았다 하더라도 내 머리에 총을 겨눠 나를 죽이지는 않았다. 그런 의미에서 그는 '호랑이'처럼 미친 악마는 아닌 것이다. 그렇다면 신영철을 향해 그들처럼 침묵할 것인가. 그 어떤 질문과 비난에도 '매우 이상하게 여길 정도로 침묵'을 지켰던 예수처럼 신영철의 악행에 대해 침묵할 것인가. 자신들을 죽인 미친 악마 '호랑이'에 대해서 매우 이상할 정도로 대침묵을 지켰던 마리 마들렌 수녀처럼 나도 대침묵을 지킬 것인가.

아니다.

그는 강하게 머리를 흔들었다.

침묵은 용서가 아니라 방관(傍觀)이다. 방관은 비겁한 행위이다. 나는 그를 고발한다. 나는 신영철을 고발하여 광장에 세울 것이다. 그리하여 그의 죄를 묻고 내 손으로 직접 처형할 것이다. 신의 이름으로서가 아닌 시민의 이름으로 신영철을 단죄할 것이다.

3

마침내 미사가 끝나고 신자들이 성당 밖으로 쏟아져나오고 있었다. 그는 신문지로 싼 목검을 옆구리에 끼어 남의 눈에 안 띄도록 감춘 후 놀이터에서 일어나 성당 앞으로 걸어갔다. 성당은 두 개의 출입구를 갖고 있었다. 하나는 성당 정면에서 계단을 통해 내려와 성모 마리아 상이 안치된 사제관이 있는 광장으로 내려 나오는 길과 또 하나는 사무실이 있는 지하 계단을 통해 나오는 비상구였다. 그는 신영철이 정면의 출입구로 나오리라고 확신을 하고 있었다.

그는 사목회장이었으므로 미사가 끝나면 신자들을 일일이 맞는 신부 옆에 서서 함께 인사를 나누어야 할 의무가 있었던 것이다.

그의 예상은 적중했다.

미사를 집전하였던 주임 신부와 또 다른 보좌 신부들이 성당 앞 뜨락에 서서 사라져가는 신자들과 인사를 나누고 있었다. 어떤 신자들은 십자가상과 묵주를 들고 와 신부들에게 축성을 받고 있었고 어떤 신자들은 강복(降福)을 받고 있었다. 신부들보다 좀 늦게 신자들 속에 끼어 나타난 신영철이 주임 신부 곁에 서서 일일이 눈인사를 하고 악수를 나누고 있었다.

날씨가 좀 쌀쌀해졌으므로 신자들은 빠르게 사라지고 있었다.

그는 주머니에서 마스크를 꺼내 다시 썼다. 그리고 성당 한쪽에 마련된 정원수 사이에 숨어 서서 신영철의 모습을 줄곧 지켜보고 있었다.

그는 신자들과 인사를 나누는 신영철의 미소를 보자 견딜 수 없는 증오심이 새삼스럽게 북받쳐오르는 것을 느꼈다. 신부들과 말을 나누면서 겸손하게 웃는 신영철의 모습에서 그는 구역질을 느꼈다. 신영철 너의 발이 신부에 의해서 씻겨졌다고 해서 이제 네 영혼이 깨끗하게 씻겨지고, 네 죄가 씻겨진 줄 알고 있느냐. 아니다. 네 죄는 아직 그대로 남아 있다.

빠른 시간 안에 신자들은 뿔뿔이 사라졌다. 뒤늦게 성당 안의 불을 끄고 나선 수녀가 성당 앞 광장을 밝히는 백열등의 불을 껐다. 그러자 성모 마리아 상을 비추는 조명등과 가로등만 켜졌을 뿐 성당 앞 뜨락은 삽시간에 어두워졌다. 신영철은 사제관으로 사라지는 신부들과 인사를 나누고 신부들이 사라질 때까지 예의를 갖추고 지켜보고 있었다. 이윽고 신부들이 사제관의 문을 닫고 사라지자 신영철은 잠시 팔짱을 끼고 불이 꺼진 성당을 물끄러미 바라보다가 생각난 듯 천천히 걷기 시작하였다.

신영철은 어두운 언덕길을 내려가기 시작하였다. 그는 같은 속도로 신영철의 뒤를 쫓아가면서 옆구리에 끼어 은폐하였던 목검을 꺼냈다.

언제라도 단 한칼에 신영철의 급소를 내리쳐서 그를 쓰러뜨릴 수 있도록 만반의 태세를 준비하기 위해서 그는 목검의 손잡이를 힘차게 부여잡았다.

저녁 미사가 끝난 시간이었으므로 밤은 깊어 있었다. 날씨가 쌀쌀한 탓인지 거리에는 오가는 사람의 모습도 보이지 않았고 신영철도 바지에 손을 찌른 채 허리를 굽혀 걷고 있었다.

성당에서 번화가로 내려가는 언덕길은 어둡고 오가는 사람들의 인적이 드문 한적한 길이었다. 그러나 그는 이곳에서 신영철을 급습할 수는 없다고 생각하였다. 방금 미사를 마치고 돌아가는 그를 성당에서 가까운 거리에서 공격을 가할 수는 없다고 생각했기 때문이었다.

그의 머리 속으로는 오래전에 읽었던 셰익스피어의 「햄릿」의 한 장면이 떠올랐다. 덴마크의 왕자 햄릿은 어느 날 선왕의 망령이 나타나서 자신이 동생에 의해서 독살당했음을 알려준다. 이에 왕자 햄릿은 아버지의 동생, 클로디어스에게 복수를 맹세한다. 더욱이 어머니 거트루드는 아버지가 죽은 후 왕의 동생 클로디어스와 재혼하여 왕비가 된다. 이에 햄릿은 복수를 위해 미친 사람처럼 행동하는 것이다.

마침내 커튼 뒤에 숨어 비수를 들고 암살을 결심하고 있던 햄릿은 그러나 절호의 찬스에서 자신의 죄를 뉘우치고 기도를 하고 있는 클로디어스를 본 순간 이렇게 생각하며 칼을 거둔다.

"지금 이 순간 이 원수를 죽인다면 이 원수는 기도 중이었으므로 곧바로 천국에 들 것이다."

마찬가지로 지금 이 성당 앞 언덕길에서 신영철을 쓰러뜨린다면 그는 하느님으로부터 가호(加護)를 받을 것인가.

티베트로부터 망명하였던 달라이 라마는 그의 일기에서 다음과 같이 말하고 있다.

"용서의 방법을 배우는 일이 적을 향해 돌팔매를 하는 일보다 훨씬 값어치가 있는 일인 것입니다."

평생을 비폭력으로 중국을 향해 저항을 하고 있는 달라이 라마.

그러나 그는 신영철의 뒤를 쫓아 언덕길을 내려가면서 머리를 흔들었다.

달라이 라마의 말처럼 돌팔매질을 하는 것보다는 용서의 방법을 배우는 길이 훨씬 값어치가 있는 일임이 분명하다 하더라도 지금 이 순간 나는 원수를 향해 돌팔매질을 하는 폭력의 길을 택할 것이다. 왜냐하면 지금 이 순간이 오직 단 한 번의 기회이므로. 이 기회를 놓친다면 다시는 그를 단죄할 수 있는 절호의 찬스는 찾아오지 않을 것이다.

일단 언덕길을 내려와 큰 거리로 나선 신영철은 천천히 한길을 건넜다. 다른 특별한 약속이 없다면 신영철은 지금 집을 향해 걷고 있을 것이다. 가톨릭은 독특한 특징을 갖고 있다. 그것은 철저히 구역을 나누어 각 신자들은 그 구역에 있는 성당에 다니는 것을 의무로 삼고 있는 것이다. 신영철의 집도 성당에서 멀지 않은 곳에 자리 잡고 있을 것이다. 집으로 돌아가기 위해서 차를 타거나 버스를 타는 일은 없을 것이다. 신영철은 집을 향해 걸어가고 있을 것이다.

그의 예상은 적중했다.

한길을 건넌 신영철은 새로 지은 아파트 단지를 향해 걷기 시작하였다. 서울의 외곽 지대에 지은 신시가지에는 대단위의 아파트 단지가 형성되어 있었다. 그러나 얼마 전까지만 해도 야산에 불과하였던 곳이어서 아직 곳곳에 채 베어지지 않은 나무숲이 그대로 남아 있고 정리되지 않은 공터가 그대로 남아 있었다.

고속도로라 하여 도시를 관통하는 신도로가 신영철이 걸어가고 있는 아파트의 입구를 가로지르고 있었다. 외곽 지대에서 도심으로 빠르게 연결되는 간선 도로였다. 채 베어내지 않은 나무숲이 드문드문 남아 있는 야산 기슭에는, 아직 완성되지 않은 간선 도로의 상판을 받치는 거대한 콘크리트 기둥이 괴물처럼 우뚝 서 있었다. 고속도로를 건설하는 공사 인부들의 작업장이 거대한 콘크리트 기둥을 따라서 임시로 만들어져 있었다. 밤이 깊었으므로 인부들이 모두 철수하였는지 작업장의 불도 꺼져 있었다.

신영철은 그 길을 따라 걷고 있었다.

신영철이 그 어두운 공사장의 길을 따라 걷는 것을 보자 그의 가슴은 뛰기 시작하였다. 그는 아파트로 들어가는 지름길로 가기 위해 한적한 숲길을 걸어가고 있는 것이다. 아파트 단지로 들어가는 정식 진입로는 따로 만들어져 있었다. 그러나 그 진입로를 거치려면 우회하지 않으면 안 된다. 신영철은 빠른 길을 택해서 아직 도로가 형성되지 않은 숲길을 걷고 있는 것이다.

그곳에는 아파트 단지에서 흘러나오는 불빛만 투영되고 있을 뿐 가로등조차 없는 어두운 길이었다. 아침마다 아파트에 살고 있는 주민들이 산책을 하는 공원이기도 했다. 아직도 산기슭 어딘가에는 오래된 약수터가 하나 있다는 소문을 그도 전해 듣고 있었다.

신영철이 그 숲길로 접어들자 그는 속력을 올려 빠르게 걸어 갔다. 일정한 거리를 유지하던 신영철과의 거리를 좁혔다. 대여섯 발짝으로 접근하자 그는 숨이 가빠왔다. 신영철은 뒤에서 쫓아오고 있는 사람의 인기척을 전혀 의식하고 있지 못한 듯하였다. 그는 여전히 주머니에 손을 찌른 채 쌀쌀한 바람을 조금이라도 막으려 허리를 굽히고 빠른 속도로 숲길을 오르고 있었다.

그는 본능적으로 주위를 살펴보았다. 주위엔 사람의 모습이 보이지 않았다. 작업장에 쌓인 건축 자재를 지키는 감시인이 남아 있는 것일까. 임시로 만든 퀀셋 건물 밖 야적장에는 밝은 불빛이 비치고 있었다. 그러나 그 어느 곳에서도 인기척은 느껴지지 않았다.

그는 다시 속력을 높였다.

신영철과의 거리는 너무 좁혀져서 손만 뻗치면 닿을 수 있는 가까운 거리가 되었다. 그는 천천히 목검을 뽑아들었다. 그의 마음은 생각했던 것보다 오히려 담담해졌다. 그는 오래전 학창 시절 때 시합에 나가서 정면의 시선인 정안(正眼)으로 상대를 노려볼 때 느끼던 침착함을 되찾았다. 검도 시합을 앞두면 마음이 불안해지고 가슴이 뛴다. 그러나 막상 가슴을 보호하는 갑(甲)을 입고 얼굴을 보호하는 호면(護面)을 쓰고 시합장에 나서면 이상하게도 마음이 가라앉는다. 호면 사이로 보이는 상대방의 눈동자만 뚜렷하게 보일 뿐이었다. 그는 순간 자신이 검도 시합장에 나와서 상대방과 마주친 느낌을 받은 것이다. 이기고 지는 것은 하나의 승부일 뿐 지금 이 순간에는 오직 상대가 보이는 허점을 향해 기합 소리와 함께 급소를 공격하여 일격에 상대방을 쓰러뜨리는 일뿐이다.

상대방은 허점을 보이고 있다. 더 이상의 기회는 없다. 오직 이 한 번뿐인 것이다. 그는 날카롭게 목검을 빼어들었다. 그 순간 무심코 걷던 신영철이 뭔가 이상한 낌새를 눈치 챈 듯 빠르게 몸을 돌렸다. 신영철은 자신의 바로 곁에서 벌어지고 있는 상황이 이해가 가지 않는다는 표정으로 그를 쳐다보았다. 인근 야적장의 불빛이 그 순간 신영철의 얼굴을 똑바로 비췄으므로 그는 신영철의 일그러진 얼굴 표정을 똑똑히 쳐다볼 수 있었다.

그의 목검이 순식간에 신영철의 옆구리를 강타하였다. 신영철이 본능적으로 얼굴을 보호하기 위해서 두 팔을 들어올렸으므로 자연 옆구리의 허점이 드러났기 때문이었다. 그는 정통으로 그 옆구리를 베었다. 억 하는 신음 소리와 함께 신영철이 그 자리에서 주저앉았다. 그는 신영철이 순간의 충격으로 숨도 쉬지 못하고 일시적인 질식 상태에 빠져들었음을 직감하였다. 그는 두번째 공격을 가하기 위해서 다시 목검을 세워들었다. 신영철은 무방비 상태였다. 그는 가슴을 부여잡은 채 필사적으로 그를 향해 애원의 눈짓을 보내고 있었다.

그는 신영철의 목을 노렸다. 목은 사람의 급소 중에서 가장 치명적인 곳이었다. 그곳을 강타한다면 신영철은 자칫 생명을 잃을지도 모른다. 그가 든 칼이 나무로 만든 목검이 아니라 진검(眞劍)이라면 신영철은 단숨에 목이 베어져 생명을 잃을 것이다. 그는 그의 목을 향해 목검을 치켜들었다. 그러나 그는 더 이상 칼을 휘두를 수가 없었다. 그의 온몸은 순식간에 얼어붙은 듯 정지된 상태에서 꼼짝도 할 수가 없었다. 마술에 걸린 듯 뭔가 강한 힘이 그의 행동을 억제하고 있었다. 그는 그 힘을 거스를 수가 없었다. 어디선가 사람의 인기척 같은 것이 들려오고 있었다. 그는 신영철을 향해 세워들었던 목검을 천천히 떨어뜨렸다. 그리고 제자리에서 천천히 돌아섰다. 그리고 걷기 시작하였다. 처음에는 천천히 그러나 좀 후에는 빠르게 그리고는 마침내 미친 듯이 뛰기 시작하였다. 숲길에서 불빛이 있는 번화가에 이르기까지 그는 내처 뛰었다. 빠르게 뛰어서 조금이라도 재빨리 그 현장에서 벗어나야만 자신의 부재를 증명이라도 할 수 있는 것처럼.

부재 증명(不在證明). 사건이 일어났을 때 그곳에 있지 않았다는 알리바이를 성립시키기 위해서 그는 미친 듯이 뛰어서 번화가에 나서자마자 얼굴을 가렸던 마스크를 벗고 모자를 벗어 주머니 속에 찔러넣었다.

밤거리는 화려하였다. 손님을 유혹하는 불빛들과 네온의 눈부신 조명등이 밤거리에 명멸하고 있었다. 그러나 그 어떤 풍경도 그의 눈에는 들어오지 않았다. 그는 목적도 없이 그 번화한 거리를 미친 듯이 빠르게 걸었다.

그의 귓가에 목검으로 옆구리를 강타한 순간 억 하고 흘러나오던 신영철의 신음 소리가 계속해서 맴돌고 있었다. 그리고 가슴을 부여잡은 채 그를 향해 필사적으로 애원하던 신영철의 눈빛도 떠오르고 있었다.

나는 해냈다. 마침내 신영철을 쓰러뜨렸다. 신영철의 급소를 강타하고 그를 단죄하였다. 나는 본능적으로 알고 있었다. 단 한 방의 공격이었으나 정타로 맞은 목검은 그를 순간적으로 질식 상태에 빠뜨려 한동안 몸을 가눌 수 없을 만큼 치명적인 상처를 입혔을 것이다.

그러나.

그는 밤거리를 빠르게 걸어가면서 생각하였다.

결정적인 마무리는 짓지 못하였던 것이다. 두번째 공격을 하려던 순간 그의 행동을 억제하고 있는 것 같은 강한 힘을 느꼈었다. 그 순간 그의 온몸은 순식간에 얼어붙은 듯 정지된 상태에서 꼼짝도 할 수 없었던 것이다.

무엇이었을까. 그는 빠르게 걸어가면서 생각하였다.

자신의 행동을 억제하던 그 강한 힘은 도대체 무엇이었을까.

그의 눈 속으로 강렬한 빛 하나가 번쩍이며 스며드는 것을 느졌다. 그는 그 강렬한 빛을 보았다. 그것은 거리에 내건 거대한 거울에 비친 자신의 모습이었다. 거울을 파는 상점이었는지 가게 안에는 크고 작은 거울들이 수없이 전시되어 있었다. 거리에서 비친 밝은 네온의 불빛들을 전시된 거울들이 날카롭게 반사하고 있었다. 그 반사하는 불빛이 순간 그의 두 눈을 강렬하게 찌르고 있었다. 그는 발길을 멈추고 거울에 비친 자신의 모습을 보았다. 거대한 거울 속에는 자신의 모습이 전신상으로 떠오르고 있었다.

한 손에 들린 목검의 모습도 보였다. 그 목검을 본 순간 그는 가슴이 철렁하였다. 거울 속에는 그가 아닌 다른 사람의 모습이 떠오르고 있었다. 눈빛은 증오의 살기로 가득 차 있었고 모습은 복수를 다짐하는 자객(刺客)의 모습이었다.

그는 뒷걸음질쳐서 거울에서 물러났다. 그리고 어두운 골목길로 들어섰다. 좁은 골목 안에는 음식점에서 버린 쓰레기들을 모아두는 쓰레기통이 따로 마련되어 있었다. 그는 주머니에서 자신의 정체를 가렸던 모자와 마스크를 꺼내어 그 통 속에 구겨넣었다. 남은 것은 신영철을 처단한 칼이었다. 그 목검은 그가 아끼던 물건이었다. 비록 검도를 포기한 지 십몇 년이 흘렀다고는 하지만 그 목검은 자신의 빛나는 학창 시절을 회상케 하던 빛나는 전리품이었던 것이다.

그러나 그는 목검을 들여다보면서 결심하였다.

과감히 이 목검을 버려야 한다고 그는 생각하였다. 이 칼은 어쨌든 살인의 무기다. 순간 그의 머리 속에 자신의 아우 아벨을 죽임으로써 인류 최초의 살인죄를 저질렀던 카인의 모습이 떠올랐다. '들로 가자'고 꾀어서 아우 아벨을 돌로 쳐죽인 카인에게 하느님은 묻는다.

"네 아우 아벨은 어디 있느냐?"

그러자 카인은 대답한다.

"제가 아우를 지키는 사람입니까?"

그때 하느님은 이렇게 꾸짖는다.

"네가 어찌하여 이런 일을 저질렀느냐. 네 아우의 피가 땅에서 나에게 울부짖고 있다. 땅이 입을 벌려 네 아우의 피를 내 손에서 받았다. 너는 저주를 받은 몸이니 이 땅에서 물러나야 한다. 너는 세상을 떠돌아다니는 신세가 될 것이다."

목검을 쥔 그의 손이 와들와들 떨려왔다. 비록 카인처럼 아벨을 죽이지는 않았지만 그 역시 신영철을 이 목검으로 처단하여 쓰러뜨렸다. 신영철의 신음 소리가 들려오고 신영철의 몸이 입벌린 땅 위에 쓰러졌다. 그러므로 너는 이제 저주받은 몸이니 세상을 떠돌아다니는 신세가 될 것이다.

에덴의 동쪽.

하느님의 앞에서 물러나와 에덴의 동쪽 놋이라는 곳으로 추방을 당한 카인처럼 나도 에덴의 동쪽으로 추방되어 떠돌이가 될 것인가.

그는 또 다른 골목으로 접어들었다. 섬유 공장 같은 곳에서 나온 대형 쓰레기 봉지가 한가득 쌓여 있었다. 쓰레기 봉지 안에는 재단하다 남은 자투리 옷감들이 가득 들어 있었다. 그는 목검을 그 봉지 속에 쑤셔넣었다. 자투리 옷감 사이에 겉에서는 드러나 보이지 않도록 깊숙이 찔러넣었다. 손에 끼었던 면장갑도 함께 쓰레기 봉지 속에 집어넣고 그는 거리로 나왔다.

이로써 모든 것은 끝났다고 그는 혼잣말로 중얼거렸다. 마치 스스로의 마음을 위로하기 위해서인 듯. 이제 모든 것은 끝났다. 신영철은 그가 저지른 죄의 값을 받은 것뿐이다. "이에는 이, 눈에는 눈"이라는 구약 시대의 법처럼 나는 그에게서 받은 그대로 되갚아준 것에 불과한 것이다.

그러나 과연 그러할까. 이로써 모든 것도 함께 끝이 날 수 있는 걸까. 그는 추방당한 카인이 저주받은 몸으로 세상을 떠돌아다니는 신세가 된 것처럼 밤거리를 떠돌아다니면서 생각하고 또 생각하였다.

용서(容恕).

타인의 잘못이나 죄를 꾸짖거나 벌하지 않고 끝내는 자비.

예수는 기회 있을 때마다 '용서'에 대해서 언급하고 있는 것이다. 심지어 부활하여 제자들 앞에 나타났을 때에도 이렇게 말하고 있는 것이다.

"누구의 죄든지 너희가 용서해주면 그들의 죄는 용서받을 것이고 용서해주지 않으면 용서받지 못한 채 남아 있을 것이다."

그러나 과연 가능한 일일까. 인간이 인간을 용서하는 일이 가능한 일일까. "형제가 제게 잘못을 저질렀을 때 몇 번이나 용서해주어야 합니까. 일곱 번이면 되겠습니까?"하고 베드로가 물었을 때 예수는 "일곱 번씩 일흔 번이라도 용서하여라"하고 대답하였다. 이 말은 문자 그대로 일곱 번씩 일흔 번 490번을 용서하라는 말이 아니라 무한대(無限大)로 용서하라는 뜻일 것이다. 그러나 과연 그것이 가능한가. 인간이 인간을 무한대로 용서할 수 있을 것인가. 아니다 그것은 불가능한 일이다. 베드로의 질문처럼 우리는 일곱 번이라도 남을 용서할 수 없다. 우리는 타인을 단 한 번이라도 용서할 수 없는 존재인 것이다. 아니 인간은 타인을 용서할 수 없는 존재로 태어난 '용서받지 못할 자'인 것이다.

그러한 인간에게 어째서 예수는 "일곱 번씩 일흔 번이라도 용서하여라"는 불가능한 진리를 선포하고 있는 것일까. 아니 그보다도 "일곱 번씩 일흔 번이라도 용서하여라"고 몸소 가르친 예수는 어째서 못 박혀 죽을 때 십자가 위에서 "아버지 저 사람들을 용서해주십시오. 그들은 자기가 하고 있는 일을 모르고 있습니다"하고 자신이 해야 할 용서를 하느님에게 미루고 있는 것일까.

자신의 가르침대로 예수는 십자가 위에서 다음과 같은 유언을 남겼어야 옳을 것이다.

"나는 너희들을 용서한다. 너희들은 너희들이 저지른 죄를 모르고 있다. 나는 나를 십자가에 못 박아 죽인 너희들을 용서한다."

예수가 자신이 해야 할 용서를 하느님 아버지에게 미룸으로써 그를 십자가에 못 박은 우리들의 죄는 여전히 용서받지 못한 채 2천 년이 넘는 오늘날까지 아직도 우리에게 남아 있는 것이 아닐까.

순간 그의 머리 속으로 번득이는 영감이 떠올랐다. 하느님의 외아들인 예수도 자신이 마땅히 해야 할 용서를 하느님에게 미룬 것은 용서야말로 오직 하느님만이 할 수 있는 관용임을 분명히 가르치기 위함이 아니었을까.

그는 머리를 끄덕이며 중얼거렸다.

인간은 인간을 용서할 수 없는 '용서받지 못할 자'인 것이다. 그러므로 '내가 너를 용서한다'는 것은 교만인 것이다. 어떻게 '내'가 '너'를 용서할 수 있을 것인가. 인간인 '나'에게 인간인 '너'를 용서할 수 있는 자격이 있는 것인가.

그렇다면 "형제의 잘못을 일곱 번씩 용서해주면 되겠습니까?"라고 베드로가 물었을 때 예수가 "일곱 번뿐 아니라 일곱 번씩 일흔 번이라도 용서하여라"라고 말한 것은 '이웃의 잘못을 무한대로 용서하여라'고 가르친 것이 아니라 실은 '너희는 남을 용서할 수 없는 존재'라는 진리를 가르치기 위해서 그렇게 말씀한 것이 아니었을까. 예수가 '이웃을 무한대로 용서하여라'고 말한 것은 '이웃을 용서하는 것이 불가능하다는 사실'을 우리에게 가르친 것이 아니었을까.

154

그렇다.

하느님의 아들인 예수, 하느님과 동일한 성심(聖心)을 가졌던 예수도 자신이 해야 할 용서를 하느님에게 미룸으로써 '인간은 타인을 용서하는 것이 불가능한 존재'임을 분명히 가르치고 있는 것이다.

그렇다면.

그는 미친 듯이 거리를 오르내리면서 생각하고 또 생각하였다.

예수는 어째서 '용서할 수 있는 능력을 가지지 못한 불가능의 존재인 우리들 인간'에게 '너희가 남의 잘못을 용서하면 하늘에 계신 아버지도 너희를 용서하고 만약 너희가 남의 잘못을 용서하지 않으면 아버지께서도 너희의 잘못을 용서하지 않을 것'이라고 설파하고 있는 것일까.

이것은 모순이 아닌가.

나는 신영철을 용서할 수 없고, 신영철을 일곱 번뿐 아니라 단 한 번이라도 용서할 수 없다. 내가 신영철에게 "나는 너를 용서한다"고 선언한다면 내가 신영철을 '용서할 수 있는 능력을 가진 우월한 존재'가 될 것이다. 그것은 오직 신(神)만이 가질 수 있는 고유의 권한인 것이다. 그럼에도 예수는 나에게 신영철을 용서하지 못하면 하느님도 나를 용서하지 못할 것이라고 분명히 못 박고 있는 것이다. 그렇다면 예수는 내게 신이 되기를, 신적인 존재가 되기를 주문하고 있단 말인가.

원주율(圓周率).

순간 그는 학창 시절 때 배운 원주율을 떠올렸다. 원주의 길이와 그 지름의 비의 값. 나눠도나눠도 나누어지지 않는 파이(π)의 무한급수는 3.1416으로 시작된다. 그래서 흔히 파이의 근사값은 3.14로 대표되는데 그는 아직도 30자리까지의 소수를 기억하고 있었다.

3.141592653589793238462643383279…… 나누어도 나누어도 나누어지지 않는 무한급수. 그때 그는 수학 선생님에게 다음과 같이 물었다.

"선생님, 이 값은 언젠가는 나누어집니까?"

"물론 나누어지는 것은 분명히 가능하다. 그러나 우리는 이것을 불가능의 가능이라고 부르고 있지."

최근에는 컴퓨터의 발달로 소수점 이하 10만 자리까지 계산해볼 수 있다고 한다. 그러나 여전히 그 무한급수는 나누어지지 않는다. 그럼에도 불구하고 산술학상 이 소수점은 언젠가는 분명히 나누어지는 것이다. 이것이야말로 '불가능의 가능'인 것이다.

그렇다면 용서야말로 원주율이 아닐 것인가. 인간이 인간을 용서하는 것은 소수점 이하 10만 자리까지 계산해보아도 끝나지 않는 파이의 근사값이다. 그것은 오직 신만이 계산할 수 있는 신비의 초월 영역인 것이다. 그 무한대의 불가능한 파이의 근사값을 인류는 10만 자리 아니 백만 자리까지 도전해나가듯 예수는 인간에게 '용서'의 불가능한 파이의 값을 구하라는 명제를 남기고 있는 것이다.

그는 자신도 모르게 번화가를 벗어나 좀 전에 걸었던 길을 되돌아 성당 쪽으로 걸어가고 있음을 깨달았다. 그는 극심한 감정의 혼란을 느끼고 있었다.

성당 안은 불이 꺼져 있었다. 성당 뜨락의 마리아 상을 비추는 조명등만 밝히고 있을 뿐 성당의 내부는 완전히 꺼져 있었다.

그는 빠르게 계단을 올라가 성당의 문을 밀어보았다. 그러나 두터운 성당의 정문은 꿈쩍도 하지 않았다. 그는 시계를 들여다보았다. 밤 10시가 넘어 있었다.

그는 순간 성당 문이 열려 있다 하더라도 성당 안에 들어갈 필요가 없다는 사실을 떠올렸다. 왜냐하면 성목요일 미사가 끝난 후 중앙 감실에서 성체를 장엄한 행렬 예절과 함께 따로 준비된 감실로 모셨음을 떠올렸던 것이다. 이제 이 성당 안에는 예수가 존재하지 않는다. 예수는 이미 십자가에 못 박혀 죽었다. 성금요일의 이 마지막 밤은 그 어디에도 하느님이 존재하지 않는 어두운 밤인 것이다. 이 어두운 밤 흑야(黑夜). 내일 마침내 예수가 부활하여 성야(聖夜)가 됨으로써 인류에게는 새로운 신세기가 열리는 것이다.

그는 따로 준비된 감실이 어디인가를 잘 알고 있었다. 그곳은 사제관 바로 밑에 있는 지하실에 마련된 성체 조배실이었다. 평소 신자들이 감실에 모셔진 성체 앞에 무릎을 꿇고 조배를 할 수 있도록 특별히 마련된 작은 공간이었다.

그는 천천히 계단을 내려와 그 조배실로 다가가보았다. 사제관은 불이 켜져 있었지만 조배실로 내려가는 지하 계단은 어두웠다. 하마터면 발을 헛디뎌 계단에서 굴러 넘어질 뻔하였다.

조배실 앞에는 작은 문이 있었다. 그는 그 문을 밀어보았다. 희미한 불빛 아래 예수의 전신상이 서 있었다. 자신의 붉은 심장을 두 손으로 꺼내들고 있는 예수의 성심상이었다. 그 전신상을 본 순간 그의 귓가로 예수의 말씀 한마디가 떠올랐다.

"나와 함께 한 시간도 깨어 있을 수 없단 말이냐."

예수는 최후의 만찬을 끝낸 후 마지막으로 게쎄마니의 동산으로 가셨다. 체포되기 직전이었다.

그 게쎄마니 동산에서 예수는 하느님에게 마지막 기도를 올리셨다. 이때의 장면을 마태오는 이렇게 표현하고 있다.

"예수께서 제자들과 함께 게쎄마니라는 곳에 가셨다. 거기에서 제자들에게 '내가 저기 가서 기도하고 있는 동안 너희는 여기 앉아 있어라' 하시고 베드로와 제베대오의 두 아들만을 따로 데려가셨다. 예수께서는 근심과 번민에 싸여 그들에게 '지금 내 마음이 괴로워 죽을 지경이니 너희는 여기 남아서 나와 함께 깨어 있어라' 하시고는 조금 더 나아가 땅에 엎드려 기도하셨다. '아버지, 아버지께서는 하시고자 하시면 무엇이든 다 하실 수 있으니 이 잔을 저에게서 거두어주소서. 그러나 제 뜻대로 하지 마시고 아버지의 뜻대로 하소서.' 기도를 마치고 세 제자들에게 돌아와보니 제자들은 자고 있었다. 그래서 베드로에게 '너희는 나와 함께 단 한 시간도 깨어 있을 수 없단 말이냐. 유혹에 빠지지 않도록 깨어 기도하라. 마음은 간절하나 몸이 말을 듣지 않는 구나' 하시며 한탄하셨다. 예수께서 다시 가셔서 '아버지 이것이 제가 마시지 않고는 치워질 수 없는 잔이라면 아버지의 뜻대로 하소서' 하고 기도하셨다. 그리고 제자들에게 돌아오시니 그들은 여전히 자고 있었다. 그들은 너무나 지쳐서 눈을 뜨고 있을 수 없었던 것이다. 하는 수 없이 제자들을 따로 두고 세번째로 가셔서 같은 말씀으로 기도하셨다. 그리고 제자들에게 돌아와 이렇게 말씀하셨다. '아직도 자고 있느냐. 자, 때가 왔다. 사람의 아들이 주인들 손에 넘어가게 되었다. 일어나 가자. 나를 넘겨줄 자가 가까이 와 있다.'"

　베드로가 "주님과 함께 죽는 한이 있더라도 결코 주님을 모른다고 하지 않겠습니다"고 헛맹세를 한 곳도 바로 이곳이며, 너무나 지쳐서 도저히 눈을 뜨고 깨어 있을 수 없던 곳도 바로 이곳이며, 배신자 유다가 칼과 몽둥이를 든 무리들을 이끌고 와 예수께 입을 맞추고 체포를 한 곳도 이곳이며, 그런 의미에서 게쎄마니 동산을 상징하는 이 성체 조배실은 분노와 절망, 헛맹세와 폭력, 음모와 배신, 게으름과 광기 등 온갖 죄악들이 난무하는 이 어두운 세상을 상징하는 지옥인 것이다. "나와 함께 단 한 시간만이라도 깨어 있을 수 없다는 말이냐"는 예수의 간절한 권유에 따라 단 한 시간만이라도 깨어서 피땀을 흘리는 예수의 게쎄마니 기도에 동참하기 위해서 그는 이곳까지 찾아온 것이다.

성체 조배실은 두 개의 방으로 나누어져 있었다. 성체를 안치하고 있는 조배실과 자신의 순서를 기다리는 대기실이었다. 그러나 기다리는 사람이 없었으므로 그는 조배실의 문을 열고 안으로 들어갔다.

생각과는 달리 조배실 안에는 서너 명의 신자만이 앉아 있을 뿐이었다. 그는 방석을 들고 구석진 자리에 무릎을 꿇고 앉은 후 성호를 그었다. 그리고 눈을 떠 조배실의 정면을 바라보았다.

그곳에는 그리스도의 몸인 성체를 상징하는 큰 밀떡이 사방으로 퍼져나가는 황금빛 광채를 표현한 금속 장식 속에 보관되어 놓여 있었다. 그 성체를 바라본 순간 갑자기 그의 몸 속으로 알 수 없는 빛의 광채가 스며드는 것 같은 느낌을 받았다.

저곳에 예수가 앉아 있다.

저곳에 엎드려 절하면서 예수는 마지막으로 하느님께 기도하고 있다. 근심과 번민에 싸여서 "아버지, 아버지께서는 하시고자만 하시면 무엇이든 다 하실 수 있으시니 이 잔을 저에게서 거두어주십시오" 하고 기도하고 있다. 어찌나 고통스럽게 기도하였는지 이때 예수가 흘린 땀은 피〔血〕였다고 전해지고 있다.

바로 저곳에서, 루가가 표현한 대로라면 '돌을 던지면 닿을 만한 거리'인 저곳에서 예수는 피의 땀을 흘리며 그리스도 최후의 기도를 하고 있는 것이다.

그는 도대체 무엇을 기도하고 있었던 것이었을까.

그리스도 최후의 기도 그것은 '자신이 마시지 않으면 치울 수 없는 잔'에 대한 기도가 아닐 것인가. 예수는 처음에는 그 잔을 "자신에게서 거두어달라"고 기도한다. 그러나 그의 기도는 곧 다음과 같이 바뀐다. "아버지, 이것이 제가 마시지 않고는 치워질 수 없는 잔이라면 아버지의 뜻대로 하소서." 그리고 예수는 마지막으로 세번째의 기도를 올린다. 바로 이 게쎄마니 동산에서. 그러나 성경 그 어디에도 예수가 올린 세번째의 기도에 대해서는 기록하고 있지 않다.

마태오는 다만 이 세번째의 기도에 대해서 다음과 같이 기록하고 있을 뿐이다.

"……하는 수 없이 이 제자들을 따로 두시고 세번째로 가셔서 같은 말씀으로 기도하셨다."

그러나 과연 그러한가. 예수께서 하신 세번째의 기도가 두번째의 기도인 '아버지의 뜻대로 하소서'란 내용의 반복뿐이었을까. 아니다.

그는 무릎을 꿇고 앉아서 머리를 흔들었다.

아니다. 예수의 세번째 기도는 이런 기도였을 것이다.

"그렇습니다. 아버지 이 잔을 제가 마시겠습니다. 그리하여 아버지의 뜻을 제가 이루겠나이다."

그러므로 게쎄마니 동산에서 올린 그리스도 최후의 기도는 다음과 같은 세 단계의 과정으로 발전되고 있는 것이다.

그 첫번째는 '이 잔을 거두어달라'는 청원에서, 두번째는 '과연 치워질 수 없는 잔인가'의 반문에서, 세번째는 마침내 '그 잔을 마시겠다'는 결심의 과정으로 발전되고 있는 것이다.

그러므로 예수가 십자가 위에서 "이제 다 이루었다"고 고개를 떨구고 숨을 거둔 것은 바로 자신이 마시지 않고는 치워질 수 없는 잔을 마시고 그것을 마심으로써 마침내 하느님의 모든 뜻을 '이제 다 이루었다'라는 신앙 고백으로 완성하고 있는 것이다.

그렇다면 예수가 게쎄마니 동산에서 그토록 피땀을 흘리며 고민하였던 '그 잔'은 무엇을 의미하고 있는 것인가. '마시지 않고는 치워질 수 없는 잔' 속에는 도대체 무엇이 들어 있었던 것일까.

십자가의 죽음인가. 그렇다면 예수는 십자가 위에서 못 박혀 죽는다는 사실에 대해서 두려움과 공포를 느끼고 있었단 말인가. 아니다. 예수에게는 두려움과 공포가 없었다. 두려움은 모든 의심에서부터 출발한다. 예수는 바다의 거센 풍랑이 일어나 배가 물결에 뒤덮여 난파가 되었을 때도 잠을 자고 있던 사람이었다. 제자들이 살려주십시오 하고 부르짖자 예수는 "왜 그렇게 믿음이 없느냐. 왜 그렇게 겁이 많으냐" 하고 꾸짖었다. 공포는 이렇듯 믿음이 약한 데서 비롯된 것이다. 그러므로 예수는 십자가의 고통에 대해 두려움과 공포를 느낀 그런 사람이 아니었다. 물론 그는 말씀이 사람이 되어 육체를 갖게 된 사람의 아들이므로 자신의 손과 발에 못 박히는 신체의 고통에 대한 불안은 갖고 있었을지도 모른다. 또한 죽음에 대한 공포도 있었을지도 모른다. 그러나 과연 그러하였을까. 죽은 것이 아니라 다만 잠이 들어 있을 뿐이라고 하면서 "나자로야 나오너라" 하는 한마디의 큰 소리로 죽은 나자로를 살렸던 예수가 어떻게 죽음에 대한 공포를 가지고 있었단 말인가. 그렇다면 예수는 이중인격자가 아닐 것인가.

아니다. 예수는 불신과 두려움, 신체의 고통에 대한 불안과 죽음의 고통 때문에 피땀을 흘린 것은 아니다. 그러므로 예수가 하느님께 올린 마지막 기도에서 나오는 '죽음의 잔'에는 그런 불신과 두려움, 불안과 공포가 들어 있었던 것은 아니었다.

그렇다면 과연 그 잔에는 무엇이 들어 있었을까. 도대체 무엇이 들어 있었기에 하느님과 동일한 존재였던 예수도 근심하고 번민하며 세 번이나 묻고 또 물었을까. 그것이 우리가 흔히 알고 있는 십자가라면 이미 예수는 세 번이나 제자들에게 예고하지 않았던가.

그 첫번째 예고를 마태오는 다음과 같이 기록하고 있다.

"……그때부터 예수께서는 제자들에게 자신이 반드시 예루살렘에 올라가 원로들과 대사제들과 율법학자들에게 많은 고난을 받고 그들의 손에 죽었다가 사흘 만에 다시 살아날 것을 알려주었다. 베드로는 예수를 붙들고 '주님 안 됩니다. 결코 그런 일이 있어서는 안 됩니다' 하고 말렸다. 그러나 예수께서는 베드로를 돌아보시고 '사탄아 물러가라. 너는 나에게 장애물이다. 너는 하느님의 일을 생각지 않고 사람의 일만을 생각하는구나' 하고 꾸짖으셨다."

예수가 십자가의 수난에 대해서 다음과 같은 두번째의 예고도 하지 않았던가.

"그들이 갈릴래아에 모여 있을 때 예수께서는 이런 말씀도 하셨다. '사람의 아들은 머지않아 사람들에게 잡혀 그들의 손에 죽었다가 사흘 만에 다시 살아날 것이다.' 이 말씀을 듣고 제자들은 매우 슬퍼하였다."

그뿐인가. 예수는 예루살렘으로 올라가는 도중에 다음과 같은 세번째의 예고까지 하지 않았던가.

"……예수께서 예루살렘으로 올라가시는 도중에 열두 제자들을 가까이 불러 조용히 말씀하셨다. '우리는 지금 예루살렘으로 올라가고 있다. 거기에서 사람의 아들은 대사제들과 율법학자들 손에 넘어가 사형 선고를 받을 것이다. 그리고 이방인들의 손에 넘어가 조롱과 채찍질을 당하며 십자가에 달려 죽었다가 사흘 만에 다시 살아나게 될 것이다."

예수는 이와 같이 자신이 십자가에 매어달려 죽었다가 사흘 만에 다시 살아날 것을 분명히 알고 있었다. 그래서 예수는 세 번씩이나 자신의 수난과 부활을 예고하는 것이다. 그런 예수가 어째서 마지막에 이르렀을 때에는 그 잔을 치워달라고 청원하고 있는 것일까. "주님 안 됩니다. 십자가에서 돌아가시면 안 됩니다" 하고 부르짖는 베드로에게 "사탄아 물러가라"라는 극단적인 말을 했던 예수가 아니었던가. 그런 예수가 이 잔을 거둬달라고 했다면 그 잔 속에 '십자가'가 들어 있지 않음은 분명한 것이다.

이미 자신이 십자가에 못 박혀 죽었다가 사흘 만에 부활할 것을 명백히 알고 있고 그것을 세 번씩이나 예고했던 예수가 마지막에 이르러서는 그 십자가로부터 도망치려 하였단 말인가.

아니다.

그는 순간 깨달았다.

게쎄마니 동산에서 피땀을 흘리며 기도하였던 예수의 잔 속에 들어 있는 것은 '십자가'가 아닌 것이다.

그렇다면 무엇인가. 예수에게 있어 최후의 잔 속에 들어 있던 그것은 무엇인가. 그것은 그리스도에게 있어 최후의 기도이자 최후의 유혹이 아닐 것인가.

순간 그의 머리 속으로 예수가 요르단 강가에서 세례를 받고 광야로 가서 40일 동안 악마의 유혹을 받았던 장면을 떠올렸다.

이때의 장면을 루가는 다음과 같이 기록하고 있다.

"……예수께서는 요르단 강에서 성령을 가득히 받고 돌아오신 후 성령의 인도로 광야에 가시어 40일 동안 악마에게 유혹을 받으셨다. 그동안 아무것도 잡수시지 않아서 40일이 지났을 때에는 몹시 허기가 지셨다. 그때에 악마가 예수께 '당신이 하느님의 아들이거든 이 돌더러 빵이 되어보라고 하여보시오' 하고 꾀었다. 예수께서는 '사람이 빵으로만 살 것이 아니라고 성서에 기록되어 있다'고 대답하셨다. 그러자 악마는 예수를 높은 곳으로 데리고 가서 잠깐 사이에 세상의 모든 왕궁을 보여주며 다시 말하였다. '저 모든 권세와 영광을 당신에게 주겠소. 저것은 내가 받은 것이니 누구에게나 내가 주고 싶은 사람에게 줄 수 있소. 만일 당신이 내 앞에 엎드려 절만 하면 모두 다 당신의 것이 될 것이오.' 예수께서는 악마에게 '주님이신 너의 하느님을 예배하고 그분만을 섬겨라 하고 성서에 기록되어 있다' 하고 대답하셨다. 다시 악마는 예수를 예루살렘으로 데리고 가서 성전 꼭대기에 세우고 '당신이 하느님의 아들이거든 여기에서 뛰어내려보시오. 성서에 하느님이 당신의 천사들을 시켜 너를 지켜주리라 하였고 또 너의 발이 돌에 부딪히지 않게 손으로 너를 받들게 하시리라, 고 기록되어 있지 않소' 하고 말하였다. 예수께서는 '주님이신 너의 하느님을 떠보지 말라는 말씀이 성경에 있다' 하고 대답하셨다."

루가는 세 가지의 유혹을 물리친 예수에게서 악마는 떠나며 다음과 같이 맹세하였다고 끝을 맺고 있다.

"……악마는 이렇게 여러 가지로 유혹해본 끝에 다음 기회를 노리면서 예수를 떠나갔다."

예수는 40일 동안 광야에서 악마의 유혹을 물리쳤다. 그러나 악마의 유혹은 그것으로 끝이 난 것은 아니었다. 악마는 루가가 기록한 대로 다음 기회를 노리고 있었다. 악마가 노린 그리스도 최후의 유혹. 그것이 바로 예수가 죽기 직전 마지막으로 게쎄마니 동산에서 올린 잔 속에 들어 있는 독(毒)인 것이다. 그 독이야말로 악마가 노리고 있었던 그리스도를 향한 최후의 유혹이었던 것이다. 그렇다면 그 유혹은 과연 무엇이었을까.

성서 그 어디에도 악마가 노리고 있었던 최후의 유혹에 관한 구절은 나오지 않고 있다. 예수는 언제나 어디에서건 무엇을 망설이거나 주저해본 일이 없었다. 그는 항상 단호하였으며 당당하였다. 그러나 단 한 번 체포되기 직전 게쎄마니 동산에서 최후의 기도를 올릴 때에는 무려 세 번씩이나 망설이고 하느님께 애원하고 간청하고 있는 것이다. 마치 베드로가 예수를 세 번이나 모른다고 부인한 것처럼 예수는 하느님께 세 번이나 간청하고 되묻고 있는 것이다. 베드로가 세 번이나 예수를 모른다고 부인한 끝에 마침내 "오늘 닭이 울기 전에 나를 세 번이나 모른다고 할 것이다"라고 하신 주님의 말씀을 떠올리며 밖으로 나가 슬피 울었던 것처럼 예수는 세 번이나 하느님께 피땀을 흘리며 최후의 기도를 올린 끝에 스스로 칼과 몽둥이를 들고 몰려온 무리에게 붙잡혔다.

베드로는 세 번이나 예수를 모른다고 하였으나 예수는 세 번의 번민 끝에 하느님께로 더 나아갔던 것이다. 그렇다면 마시지 않고서는 치워질 수 없던 잔 속에 들어 있던 독(毒)은 과연 무엇이었을까.

그는 조배실 정면에 놓여 있는 성체를 바라보았다. 몸속으로 뜨거운 빛이 스며드는 느낌과 동시에 그럴 날씨가 아니었음에도 온몸이 뜨거워지는 느낌 속에 그는 계속 땀을 흘리고 있었다.

십자가의 고통보다도 더 고통스러운 잔 속에 들어 있던 독. 그렇다. 예수는 십자가 위에서 못 박혀 죽은 것이 아니라 하느님으로부터 내려진 그 독배(毒杯)를 마시고 죽은 것이다. 그러므로 예수를 십자가에 못 박은 것은 게쎄마니 동산에서 이미 하느님으로부터 내려진 독배를 마시고 죽어버린 예수의 육체에 또다시 못을 박는 확인 사살에 불과한 것이다. 예수의 영혼은 이미 게쎄마니 동산에서 죽음을 받아들였던 것이다. 십자가에 못 박은 것은 그의 육체를 죽인 단순 행위에 지나지 않는 것이다.

무엇이었을까.

그는 땀을 흘리면서 생각하고 또 생각하였다.

예수는 게쎄마니 동산에서 근심과 번민에 싸여 "지금 내 마음이 괴로워 죽을 지경이니 너희는 나와 함께 깨어 있어라"고 제자들에게 말하였다. 그렇다면 예수를 죽을 정도로 괴롭히고 예수를 근심과 번민 속에 휩싸이게 하였던 그 잔 속에 들어 있는 독의 정체는 무엇이었을까. 그 정체야말로 악마가 노리고 있었던 그리스도를 향한 최후의 유혹이 아니었을까. 그리스도 최후의 유혹. 그것은 예수의 가장 마지막 선택에서 이루어진 것이다. 유혹은 우리에게 선택을 요구한다. 유혹은 항상 우리에게 받아들이느냐 거부하느냐 양자택일의 선택을 요구하고 있는 것이다. 인류 최초의 악마의 유혹에서 마침내 무너진 하와의 선택은 이처럼 악마의 유혹을 받아들인 것이었다. 하와는 "절대로 죽지 않는다. 그 나무 열매를 따먹기만 하면 너희의 눈이 밝아져서 하느님처럼 선과 악을 알게 될 줄을 하느님이 아시고 그렇게 말하신 것뿐이다"라고 유혹하는 뱀의 꾐에 빠져들어 마침내 그 선악과를 쳐다보는 것이다.

이처럼 유혹은 쳐다봄, 즉 발견에서부터 시작된다. 창세기는 하와가 유혹에 빠져들어가는 과정을 이렇게 묘사하고 있다.

"여자가 그 나무를 쳐다보니 과연 먹음직하고 보기에 탐스러울 정도로 사람을 영리하게 해줄 것 같아서 그 열매를 따먹고 같이 사는 남편에게도 따주었다."

이 장면은 유혹의 선택을 통해 어떻게 악이 저질러지고 그 악행이 전파되는가를 분명하게 전해주고 있다. 그 첫 단계는 유혹의 발견이며, 그 두번째 발견은 유혹에 대한 강렬한 호기심이며 이 호기심에 대해 창세기는 "과연 먹음직하고 보기에 탐스럽다"라고 표현하고 있다. 유혹이 강할수록 그 빛은 강렬하며 자극적이며 매혹적인 것이다. 그리하여 마침내 악에 대한 논리가 성립된다. 인간이 저지르는 그 어떤 악행에도 논리는 존재하는데 하와는 자신이 저지르는 악의 논리를 '사람을 영리하게 해줄 것 같다'는 조건에서 합리화시키고 있는 것이다. 그리하여 그녀는 마침내 사과를 따먹음으로써 악을 저지르며 마침내 자신의 악행을 남편에게 전파시킴으로써 또 하나의 유혹하는 자가 되는 것이다.

'유혹하는 자.' 그것은 악마가 가진 또 하나의 이름인 것이다.

인류 최초의 악마의 유혹이 하느님으로부터 창조된 하와에게서 시작되었다면 인류 최후의 유혹은 바로 게쎄마니 동산에서 예수에게 행하였던 그리스도 최후의 유혹이었던 것이다.

인류 최초의 유혹에서 하와가 죄를 지음으로써 우리에게 원죄(原罪)가 성립되었다면 인류 최후의 유혹에서 예수가 그 독배를 받아들임으로써 우리들의 원죄는 소멸되며 해방되었던 것이다. 그런 의미에서 '선악과'와 '마실 수밖에 없는 잔'은 동일한 의미를 지닌 인류에게 행해진 최초이자 최후의 유혹이었던 것이다. 최초의 유혹으로부터 죄가 들어 인류는 죄의 노예가 되었으며, 최후의 유혹으로부터 죄가 소멸되어 인류는 죄에서 해방되었다. 최초의 유혹으로부터 사망이 들어와 죽음이 생겨났으나 최후의 유혹을 예수가 물리침으로써 인류는 비로소 죽음을 물리칠 수 있게 된 것이다.

악마가 다음 기회를 노렸던 최후의 유혹인 독배를 받아들임으로써 마침내 생명의 나무인 십자가는 완성될 수 있었던 것이다.

그러나 그렇다 하더라도.

그는 여전히 알 수 없는 미궁에 빠진 느낌이었다.

예수를 번민과 근심에 빠지게 한 그 잔 속에 들어 있던 최후의 유혹은 무엇이었을까. 그 잔 속에 들어 있던 독의 정체를 알 수 있다면 예수가 어떻게 털 깎이는 양처럼 온순하게 죽음의 행진을 할 수 있었던가를 알 수 있을 것이다. 마찬가지로 그리스도에게 행하였던 최후의 유혹을 알 수 있다면 그 수많은 성직자들이 수백 킬로미터에 이르는 죽음의 행진을 걸어가면서도 자신들을 괴롭히는 원수들에 대해서 한마디의 불평도 하지 않았던 그 이유를 깨닫게 될 것이다. 또한 그 악마, '호랑이'에 대한 한마디

원망도 하지 않았던 성직자들의 한결같은 침묵을 이해하게 될 것이며 죽어가는 순간에도 "양선하시고 너그러우신 마리아여, 원수들의 손아귀에서 나를 보호하소서. 임종 때에 나를 받아들이소서" 하고 기도하며 총을 맞아 죽은 베아트릭스 수녀의 순교를 이해할 수 있게 될 것이다.

그뿐인가. 앞을 못 보던 장님이었던 마리 마들렌 수녀가 그 혹독한 죽음의 행진에서 어떻게 살아남을 수 있었을까 하는 비밀을 밝혀낼 수 있을 것이며, 만약 그리스도 최후의 기도이자 그리스도 최후의 유혹이었던 게쎄마니 동산에서의 그 잔 속에 들어 있는 독의 정체를 밝힐 수가 있다면 나 또한 신영철을 용서할 수 있게 될 것이다.

그때였다.

그의 머리 속으로 번득이는 영감이 있었다. 그는 눈을 뜨고 성체를 바라보았다.

"너희는 모두 이 잔을 받아 마셔라."

순간 그의 머리 속으로 최후의 만찬 때 잔 속에 포도주를 넣어 돌리시며 말하였던 예수의 말 한마디가 떠올랐다.

"이것은 나의 피다. 죄를 용서해주려고 많은 사람들을 위하여 내가 흘리는 계약의 피다."

그렇다면 예수는 하느님으로부터 도대체 어떤 잔을 받아 마셨던 것이었을까. 우리의 죄를 용서해주기 위해서 자신의 피를 계약의 조건으로 내건 예수가 하느님과는 도대체 어떤 계약을 맺은 것이었을까. 그렇다면 예수가 마신 그 잔 속에는 하느님의 피가 들어 있었던 것이었을까.

예수는 최후의 만찬에서 포도주를 잔 속에 넣어 돌리며 "너희는 모두 이 잔을 받아 마셔라"고 말하였다. 그렇다면 하느님은 게쎄마니 동산에서 예수에게 이렇게 말하였을 것이다.

"너는 이 잔을 받아 마셔라."

예수는 제자들에게 잔을 돌리며 또한 이렇게 말하였다.

"이것은 나의 피다. 죄를 용서해주려고 많은 사람들을 위하여 흘리는 계약의 피다."

그렇다면 하느님은 예수에게 이렇게 말하였던 것일까.

"네가 많은 사람의 죄를 용서해주려고 흘리는 계약의 피를 보증하기 위해서 내가 주는 잔이다. 이 잔을 받아 마셔야만 많은 사람들의 죄를 용서하게 될 것이다."

예수를 완성하신 하느님의 잔.

십자가를 생명의 나무로 완성시킨 하느님의 잔. 그 잔 속에는 과연 무엇이 들어 있었던 것일까.

그러나 그는 그것을 알 수 없었다. 기도를 마치고 제자들에게 돌아와보니 모두 잠들어 있던 제자들에게 "너희는 나와 함께 단 한 시간도 깨어 있을 수 없단 말이냐. 유혹에 빠지지 않도록 깨어 기도하라. 마음은 간절하나 몸이 말을 듣지 않는구나" 하고 한탄하였던 예수처럼 그는 비록 잠들어 있지 않고 깨어 마음은 간절하게 깊은 묵상에 잠겨 있었지만 그의 영혼은 여전히 무지

172

(無智)의 미망을 벗어나지 못하고 있었던 것이다.

그리스도 최후의 유혹.

"유혹에 빠지지 않도록 깨어 기도하라"고 말하였던 예수의 말처럼 예수는 그 게쎄마니 동산에서 마지막으로 악마의 유혹과 싸우고 있었던 것일까.

그는 성체 조배실 벽에 걸려 있는 벽시계를 바라보았다. 시계는 거의 자정을 가리키고 있었다. 조배실에 들어온 것이 밤 10시 무렵이었으므로 어느덧 두 시간이 흘러가버린 것이었다.

이제 조금 있으면 사순절이 끝나는 부활의 새날이 밝아올 것이다.

그는 성체를 향해서 무릎을 꿇은 자세로 성호를 그었다. 그리고 천천히 일어섰다. 깔고 앉았던 방석을 구석진 자리에 다시 정리해두고 그는 뒷걸음질쳐서 조배실을 빠져나왔다. 신발을 챙겨 신고 어두운 계단을 거쳐 성당 밖으로 나오자 선뜻한 느낌이 들었다. 그의 온몸은 물로 씻은 듯 땀에 흠뻑 젖어 있었으므로 갑자기 나선 야밤의 냉기가 오싹한 한기를 불러일으킨 것이었다.

그는 묵묵히 어두운 성당의 뜨락을 바라보았다. 내부의 불이 꺼진 어두운 성당은 마치 게쎄마니 동산에서 최후의 기도를 끝마치고 산을 내려왔을 때 예수가 마주쳤던 비극의 현장처럼 어둡고 캄캄하였다.

그 순간 그는 이때 베드로가 차고 있던 칼을 뽑아 한 사람의 귀를 잘라버린 장면을 떠올렸다. 이 장면을 성경은 다음과 같이 묘사하고 있다.

"이때 시몬 베드로가 차고 있던 칼을 뽑아 대사제의 종을 내리쳐 오른쪽 귀를 잘라버렸다. 그 종의 이름은 말코스였다. 그때 예수께서는 그 사람의 귀에 손을 대어 고쳐주시며 '칼을 도로 칼집에 꽂아라. 칼을 쓰는 사람은 칼로 망하는 법이다'고 말씀하셨다."

특히 요한은 예수의 말을 이렇게 전하고 있다.

"이것을 보신 예수께서 베드로에게 '그 칼집에 칼을 도로 꽂아라. 아버지께서 나에게 주신 이 고난의 잔을 내가 마셔야 하지 않겠느냐' 하고 말씀하셨다."

요한이 기록한 이 구절을 통하여 게쎄마니 동산에서 예수께서 세 번이나 번민하였던 하느님의 잔이야말로 바로 '고난의 잔'임을 분명히 드러내 보이고 있는 것이다.

'아버지께서 나에게 주신 이 고난의 잔.'

그 고난이 십자가의 고난만이 아님은 이미 분명히 밝혀졌다. 그렇다면 예수께서 '마시지 않고는 치워질 수 없었던 그 잔 속에 들어 있던 고난'의 정체는 과연 십자가 이상의 무엇이었을까.

그보다도.

그는 도망치듯 어두운 성당을 빠져나오면서 생각하였다.

나는 오늘 배신자 신영철을 처단하였다. 차고 있던 칼을 뽑아 말코스의 오른쪽 귀를 잘라버린 베드로처럼 목검을 들어 신영철을 일격에 쓰러뜨렸다. 비록 진검은 아니었으나 신영철을 향한 증오만큼은 살의와도 같았었다. 그러한 내게 예수는 여전히 이렇게 말하고 있는 것일까.

"그 칼을 도로 칼집에 꽂아라. 칼을 쓰는 사람은 칼로 망하는 법이다."

번화가로 내려가는 언덕길은 어두웠다. 가로등의 불빛조차 변변히 없는 외진 길이었다. 예수가 잡히자 "제자들은 예수를 버리고 모두 달아났다"고 성경은 기록하고 있다. 마찬가지로 그는 예수를 버리고 달아나는 제자들처럼 그 어두운 언덕길을 빠르게 도망쳐 달아나고 있는 것이다.

이미 예수는 붙잡혀서 체포되고 온갖 고문과 온갖 조롱과 멸시 속에 마침내 십자가에 못 박혀 죽었다. 이 어두운 밤은 그 어디에서 그리스도의 빛이 존재하고 있지 않은 캄캄한 흑야(黑夜)인 것이다. 예수는 죽어서 무덤 속에 묻혀 있다. 이미 예수를 묻은 무덤 동굴의 입구는 큰 돌로 막혀 있다.

"당신도 저 갈릴래아 사람 예수와 함께 다니던 사람이죠?"

어둠 속에서 누군가 그의 곁에서 속삭여 물어 말하였다. 그는 베드로처럼 머리를 흔들며 대답하였다.

"무슨 소리를 하는지 나는 모르겠소."

그는 계속 어두운 언덕길을 빠르게 걸어갔다. 또다시 누군가 그의 곁으로 다가와 물었다.

"당신은 나자렛 예수와 함께 다니던 바로 그 사람이죠. 제 말이 맞죠?"

그는 계속 맹세하면서 다시 대답하였다.

"아니요. 나는 그런 사람이 누군지 모릅니다."

그는 다시 도망치듯 빠르게 언덕길을 내려갔다. 언덕이 끝나는 어귀에서부터 상가가 밀집되어 있었다. 밤 12시가 넘었으나 상가는 여전히 불을 밝히고 성업 중이었다. 언덕길 입구에 이르렀을 때 다른 그림자가 그의 곁으로 다가오면서 이렇게 말하였다.

"틀림없이 당신은 그들과 한패요. 당신은 틀림없이 예수를 따라다니던 제자임에 틀림이 없소."

그 순간 그는 거짓말이라면 천벌을 받겠다고 맹세하면서 다음과 같이 잡아뗐었다.

"나는 그 사람이 누군지 전혀 알지 못한다구요."

그때 그는 무슨 소린가를 들었다. 그러나 그것은 새벽을 알리는 닭소리가 아니었다. 그것은 거짓과 음모와 광기가 난무하고 있는 어두운 밤이 뿜어대는 절망의 신음 소리였다.

나는 모른다. 나는 모른다. 나는 그가 누군지 모른다.

그는 찬란한 네온이 번득이고 있는 번화가를 걸어가면서 소리를 내어 중얼거리며 말하였다.

나는 그를 모른다. 나는 예수가 누구인지 모른다. 나는 예수를 만난 적도 없으며 예수를 본 적도 없다.

그는 문득 쇼윈도에 내어놓은 마네킹을 바라보았다. 마네킹은 한여름에 유행할 새로운 옷을 입고 화려한 포즈를 취하고 있었다. 마네킹은 소리 높여 외쳤다.

"십자가에 못 박으시오."

네거리 빌딩 옥상에는 전광판이 빛나고 있었다. 그 전광판 위에는 방금 도착한 뉴스의 전문이 명멸하고 있었다.

'십자가에 그를 못 박아 죽이시오.'

누군가 그에게 광고 전단을 내밀었다. 그는 무심코 그 전단을 받아들고 훑어보았다. 벌거벗은 채 야릇하게 미소를 띠고 있는 사진이 게재된 광고 전단에는 다음과 같은 문구가 인쇄되어 있었다.

'너희는 그리스도라는 예수를 어떻게 하면 좋겠느냐.'

벌거벗은 여인은 한쪽 눈을 윙크하면서 이렇게 말을 하고 있었다.

'죽이시오, 십자가에 못 박아 죽이시오.'

제9장   성야(聖夜)

1

그는 캄캄한 어둠 속에 서 있었다. 성당 안은 한 줌의 빛도 새 어들어오지 않는 완벽한 어둠이었다. 모든 신자들은 그 어둠 속에 침묵하고 서 있었다. 어둠이 사람들에게서 소리를 앗아간 것일까. 사람들은 숨소리조차 함부로 내지 않고 정적 속에 서 있었다. 아내는 어둠 속에서 그의 옆구리를 가만히 찔렀다. 그는 아내가 내미는 초를 받아들었다.

부활초였다.

이 부활초는 이제 잠시 후면 시작될 '빛의 예식' 중에 신부가 들고 입장하는 부활 촛불로 인해 점화된 후 부활을 찬성하는 상징적인 의미로 사용될 것이다. 어둠을 이기고 세상의 빛이 된 예수 그리스도. 죽음을 이기고 부활한 예수 그리스도를 상징하는 축복의 의미로 성야(聖夜)를 밝히게 될 것이다.

그러나 그는 계속 마음이 답답하였다.

그는 비록 부활 성야에 참석해서 미사를 준비하고 있었으나 마음은 평화롭지 않고 착잡하였다. 지난 사순절 동안 그는 계속 번민과 근심 속에 사로잡혀 있었다. 고해 성사도 제대로 하지 못하였고 성사표를 찢어버리기조차 하였다. 어젯밤에는 스스로 목검으로 신영철을 처단하였으며 성체 조배실에서조차 마음의 평안을 얻지 못하고 있었다. 차라리 부활절 미사에 참석하지 말 것을 생각해보기도 하였으나 그것은 오히려 절망적인 느낌을 불러일으켰다.

무슨 일이 있더라도 부활절 미사에는 참석해야 한다고 그는 다짐하였다.

이윽고 성당 밖에서부터 침묵 가운데 무슨 소리가 일어났다. 부활을 상징하는 백색의 제의를 입은 신부가 불을 축성한 후 부활초에 불을 댕기고 서서히 성당 안으로 입장하고 있는 모양이었다. 캄캄한 어둠 속에 돌연 빛이 스며들었다. 성당 입구 쪽으로부터였다. 부활초를 앞세우고 입장하여 들어오는 빛의 행렬이 시작된 후 어둠을 찢고 빛이 부챗살을 펴들기 시작하였다. 그와 동시에 소리쳐 외치는 신부의 목소리가 들려왔다.

"그리스도의 빛."

신부의 목소리에 화답하여 전 신자들이 합창하여 외쳤다.

"하느님 감사합니다."

원래 신부는 '그리스도의 광명'을 노래하게 되어 있다. 제단에 도착할 때까지 사제는 '그리스도의 광명'을 세 번이나 노래하게 되어 있는 것이다. 그리스도의 광명. 이를 영어로 'Lumen Christi'라고 부른다.

그는 성당 입구로부터 들어선 빛의 행렬을 보았다. 키 큰 부활초를 앞세우고 촛불을 든 복사들과 부제들 그리고 사제들 순서로 차례로 입장하여 중앙 복도를 지나 제단으로 향하고 있었다. 키 큰 부활초에는 십자가 모양이 새겨져 있었고 알파와 오메가의 글자가 함께 새겨져 있었다.

알파(α)와 오메가(Ω). 이는 희랍 문자의 첫 글자이자 마지막 글자인 것이다. '요한묵시록'은 그 마지막 부분에서 이렇게 기록하고 있다.

"……주님께서는 이렇게 말씀하셨습니다.

'자 내가 곧 가겠다. 나는 너희 각 사람에게 자기의 행적대로 갚아주기 위해서 상을 가지고 가겠다. 나는 알파와 오메가. 곧 처음이자 마지막이며 시작과 끝이다.'"

부활초에 새겨진 알파와 오메가의 표시는 예수 스스로 말하였던 처음과 마지막 또한 시작이며 끝임을 알리는 상징적인 문양인 것이다.

"그리스도의 빛."

중앙 복도를 지나는 젊은 신부가 소리 높여 말하였다. 그러자 신자들은 그 빛의 방향에 따라 몸의 자세를 조금씩 바꾸면서 화답하여 외쳤다.

"하느님 감사합니다."

빛의 행렬은 제대 앞에 도착하였다. 행렬의 앞장에서 어둠 속을 인도하였던 부활초는 제단 위에 세워지고 독서대 옆에 마련된 촛불에도 점화되었다.

이윽고 보좌 신부가 '부활 찬송'을 노래하기 시작하였다. 이로써 부활 성야의 장엄 미사가 본격적으로 시작된 것이다.

"한 처음에 하느님께서 하늘과 땅을 지어내셨다. 땅은 아직 모양을 갖추지 않았고 아무것도 생겨나지 않았는데, 어둠이 깊은 물 위에 뒤섞여 있었고, 그 물 위에 하느님의 기운이 휘돌고 있었다. 하느님이 '빛이 있으라' 하시니 빛이 생겨났다. 그 빛이 하느님이 보시기에 좋았다. 하느님께서는 빛과 어둠을 나누시고 빛을 낮이라 어둠을 밤이라 부르셨다"의 창세기 천지창조편으로 시작된 말씀으로 전례는 구약의 제7독서를 끝으로 제단 중앙에 내어걸린 십자가상을 가렸던 커튼을 벗기기 시작하였다. 동시에 제대의 촛대에서 사제의 손을 거쳐 신자들이 들고 온 초로 불이 점화되었다. 제단에 가까운 신자들부터 촛불이 하나씩 밝혀져서 삽시간에 온 성당 안은 촛불로 가득 차버렸다. 촛불만으로도 성당 안은 활짝 밝아졌다.

그도 아내로부터 촛불을 전해 받은 후 자신이 들고 있는 초의 심지에 불을 점화시켰다. 한 번도 타지 않았던 새 초였다. 아마도 아내가 부활절을 위해 미리 축성하여 준비해두었던 부활초인 모양이었다.

아내는 1년 동안 이 부활초를 사용할 것이다. 묵주 기도를 거의 하루도 빼어놓지 않는 아내는 기도할 때마다 이 부활초를 사용하고 있었다. 결혼기념일 같은 때에도 아내는 항상 이 부활초에 불을 밝히고 있었다. 그뿐이 아니었다. 아내는 기도를 드리지 않을 때에도 혼자 있을 때면 이 부활초에 불을 밝히고 무엇인가 생각하고 있기를 좋아하였다. 때문에 두터운 부활초는 1년 뒤 새로운 부활절이 가까워오면 몽당초로 짧아져 있었던 것이다.

아내는 이 새로운 부활초로 새로운 1년을 맞이할 것이다.

온 성당은 신자들이 켠 촛불로 빛의 바다를 이루고 있었다. 그는 촛불을 들고 사흘 만에 가렸던 커튼을 벗기고 자신의 모습을 드러낸 십자가상을 우러러보았다. 청동으로 빚은 예수의 몸은 십자가 위에서 푸른빛으로 십자가에 못 박힌 채 처참하게 죽어 있었다. 미사 때마다 늘 보던 낯익은 모습이었는데도 막상 부활 성야 미사에서 가렸던 커튼을 벗기고 모습을 드러내자 새로운 느낌으로 다가오고 있었다.

사제가 복음을 읽기 시작하였다.

"……안식일 다음날 아직 동이 트기 전에 그 여자들은 준비해 두었던 향초를 가지고 무덤으로 갔다. 그들이 가보니 무덤을 막 았던 돌은 이미 굴러나 있었다. 그래서 그들은 무덤 안으로 들어 가보았으나 주 예수의 시체는 보이지 않았다. 그들은 어찌 된 영 문인지 몰라 어리둥절해하고 있었는데 바로 그때에 눈부신 옷을 입은 두 사람이 그들 곁에 나타났다. 여자들은 그만 겁에 질려 감히 쳐다보지도 못하고 있었는데 그들은 여자에게 '너희는 어 찌하여 살아 계신 분을 죽은 자 가운데서 찾고 있느냐. 그분은 여기 계시지 않고 다시 살아나셨다. 그분이 전에 갈릴래아에 계 실 때에 무어라고 말씀하셨느냐. 사람의 아들이 반드시 죄인들 손에 넘어가 십자가에 처형되었다가 사흘 만에 다시 살아나리라고 하시지 않았느냐' 하고 말해주었다. 이 말을 들은 여자들은 예수의 말씀이 생각나서 무덤에서 발길을 돌려 열한 제자와 그 밖의 여러 사람들에게 이 모든 일을 알려주었다. 그 여자들은 막달라 마리아와 요안나와 또 야고보의 어머니 마리아였다. 다른 여자들도 그들과 함께 이 모든 일을 사도들에게 말하였다. 그러나 사도들은 여자들의 이야기가 부질없는 헛소리려니 하고 믿지 않았다. 그러나 베드로는 벌떡 일어나 무덤에 달려가서 몸을 굽혀 안을 들여다보았다. 그랬더니 수의밖에는 아무것도 없었으므로 그는 어떻게 된 일인가 하고 이상히 여기면서 집으로 돌아왔다."

복음을 낭독하고 나서 신부는 말하였다.

"이는 주님의 말씀입니다."

그와 동시에 성대한 할렐루야의 노래가 합창되기 시작하였다. 할렐루야 할렐루야 할렐루야.

헨델의 「메시아」 중에 나오는 할렐루야 코러스였다. 부활절을 위해서 연습을 많이 하였던 것일까. 성가대의 합창 소리에는 기쁨과 환희가 넘쳐흐르고 있었다.

할렐루야.

찬양하라는 '할렐루'와 하느님이라는 말의 야훼의 약자 '야Jah'가 합성된 할렐루야. 즉 야훼 하느님을 찬미하라는 헨델의 유명한 합창곡을 듣는 순간 그는 문득 "너희는 어찌하여 살아 계신 분을 죽은 자 가운데서 찾고 있느냐"는 신부가 방금 낭독하였던 성경의 구절을 떠올렸다.

그렇다. 예수는 분명히 살아났다. 예수는 죽음에서 부활하였다. 오늘이 바로 예수가 죽음에서 다시 살아난 그 거룩한 밤인 성야인 것이다.

그러나.

그는 중앙 제단 위에 자신의 모습을 드러낸 청동 십자가상을 우러러보면서 생각하였다.

과연 예수는 부활하였는가. 여전히 예수는 저 십자가상 위에서 처참하게 못 박혀 죽어 있지 아니한가. 성가대원들이 할렐루야를 합창하고, '야훼 하느님을 찬양하라'는 헨델의 합창 코러스를 노래하고 있지만 예수는 과연 죽음에서 부활하였는가. 그리고 예수는 과연 내 마음 속에서 부활하였는가.

그는 불을 붙인 부활초를 바라보며 생각하였다.

'그리스도의 광명'을 상징하기 위해서 밝힌 부활초의 촛불. 그러나 과연 그리스도의 광명이 내 마음 속에서 타오르고 있는 것일까.

그 순간 그는 어젯밤 성체 조배실에서 느꼈었던 그리스도 최후의 유혹에 관한 의문을 다시 한 번 떠올렸다.

예수가 잡히기 직전 칼을 뽑아 대사제의 종을 내리쳐 오른쪽 귀를 잘라버린 베드로에게 "그 칼을 칼집에 도로 꽂아라. 아버지께서 나에게 주신 그 고난의 잔을 내가 다시 마셔야 하지 않겠느냐"하고 말하였던 그 '고난의 잔'이 도대체 무엇을 의미하는

가 하는 의문이었다. 도대체 예수가 세 번이나 고사하였던 '마시지 않고는 치워질 수 없는 잔' 속에는 무엇이 들어 있었던 것일까.

그 잔 속에 들어 있는 독이야말로 예수를 죽음에서 부활시킨 생명의 원동력이 아닐 것인가.

그러므로 예수가 마셨던 그 고난의 잔을 함께 마시지 않으면 내 마음 속의 예수는 아직도 저 십자가 위의 형상처럼 처참하게 죽어 있는 시체에 불과할 것이다. 그렇다면 예수가 최후로 마신 고난의 잔 속에는 도대체 어떤 계약의 피가 들어 있었던 것일까. 그 속에는 하느님의 피가 들어 있었음이 아니었을까.

그 피는 하느님과 하느님의 아들인 예수를 죽음에서 부활시켜 승리할 것을 약속하는 계약의 피가 아닐 것인가. 우리의 죄를 용서해주기 위해서 예수가 흘린 계약의 피를 보증하는 하느님의 피. 그 피야말로 예수를 죽음에서 부활시킨 생명의 빛인 것이다.

그렇다면 예수는 무죄한 자신을 십자가에 못 박아 죽인 사람들을 용서하고 있었을까. 십자가 위에서 못 박혀 죽기 직전 예수는 "아버지 저 사람들을 용서하여주십시오. 그들은 자기가 하는 일을 모르고 있습니다"라고 유언하였다. 그렇다면 어째서 예수는 자신이 우리에게 그토록 열심히 가르친 대로 자신이 해야 할 용서를 하느님 아버지에게 미루고 있는 것일까.

그렇다면.

십자가에 매어달린 청동 그리스도의 모습을 바라보고 있는 그

188

의 머리 속으로 번득이는 영감이 떠올랐다.

예수가 우리들에게 일곱 번씩 일흔 번이라도 용서하여라, 고 말한 것은 이웃을 무한대로 용서하라고 가르친 것이 아니라 우리들이 이웃의 잘못을 용서하는 것은 불가능하다는 것을 가르쳐주기 위함인 것이다. 예수가 십자가 위에서 "아버지 저 사람들을 용서하여주십시오" 하고 기원하였던 것은 용서는 오직 하느님만이 할 수 있는 것임을 극명하게 드러내고 있는 것이다.

예수는 심지어 원수까지도 사랑하여라, 고 말하고 있지 아니한가.

그렇다.

예수는 우리에게 용서하는 법을 가르쳐주고 계신 것이다. 하느님에겐 악한 사람도 선한 사람도 없다. 하느님은 악한 사람도 선한 사람도 모두 창조하였다. 그러므로 하느님은 그 어떤 사람에게도 똑같이 햇빛을 주신다. 또한 하느님에게는 옳은 사람도 옳지 못한 사람도 없다. 역시 하느님은 옳은 사람도 옳지 못한 사람도 자신이 직접 창조한 존재이기 때문인 것이다. 그러므로 하느님은 그 어떤 사람들에게도 똑같이 비를 내려주신다. 악한 사람과 선한 사람이라는 선악의 개념은 오직 우리 인간들의 분별에 지나지 않는 것이다. 또한 옳은 사람과 옳지 못한 사람도 결국 인간의 편견에 지나지 않는 것이다. 그 어떤 사람도 결국 하느님의 피조물이며 하느님이 직접 진흙으로 빚어 코에 입김을 불어 창조한 인간들인 것이다. 선한 사람도 악한 사람도 옳은 사람도 옳지 못한 사람도 모두 아버지의 아들인 것이다. 그러므로 그 어떤 사람도 이미 하느님으로부터는 '용서받은 사람'들인 것이다. 하느님으로부터 용서받고 하느님으로부터 사랑받는 존재인 이웃을 어찌 내가 단죄할 수 있을 것인가. 마찬가지로 하느님으로부터 용서받고 하느님으로부터 사랑받는 사람을 단지 내게 있어 원수라는 이유 하나만으로 그를 증오할 수 있는 것인가.

이렇듯 용서는 오직 하느님의 몫인 것이다. 인간은 이웃을 용서할 수 있는 존재도 아니며, 이웃에게서 용서받을 수 있는 존재도 아닌 것이다. 왜냐하면 인간은 생겨난 이후부터 하느님으로부터 이미 용서받고 사랑받는 존재이므로. 이것이 바로 종교의 모순을 밝혀주는 중요한 열쇠인 것이다. 무신론자들과 공산주의자들은 신을 조롱한다. 하느님이 존재한다면 왜 이 세상이 이처럼 타락과 멸망의 길로 치닫고 있는가 반문한다. 그러나 그 해답은 간단하다.

하느님이 이 세상을 극진히 사랑하고 있기 때문에 악한 사람도 선한 사람도 옳은 사람도 옳지 못한 사람도 여전히 사랑하고 용서하고 있기 때문에 그러한 것이다.

그렇다면.

그는 여전히 십자가 위에 못 박혀 있는 청동 그리스도의 모습을 보면서 생각하였다. 부활절 미사는 1년 동안 쓴 성수에 대한 축성으로 이어지고 사제의 집전으로 세례 때 받은 서약을 갱신하는 세례 예식으로 넘어가고 있었다. 그러나 그는 그 어떤 예식도 귀에 들어오지 않고 있었다. 그는 오직 십자가에 못 박힌 채 죽어 있는 그리스도의 형상을 바라보며 깊은 상념에 사로잡혀 있을 뿐이었다.

인간은 과연 인간을 용서할 수 없는 것일까. 용서는 오직 하느님의 몫이므로 인간은 감히 원수를 용서할 수 없는 것일까. 그렇다면 "원수를 사랑하라"는 예수의 말은 거짓이 아닐 것인가. 어떻게 해서 용서할 수 없는 인간에게 예수는 '원수를 사랑하고 너희를 박해하는 사람들을 위해서 기도하여라'는 무리한 요구를 하고 있는 것일까. "일곱 번씩 일흔 번이라도 용서하여라"는 말로 용서야말로 불가능한 일임을 암시하고 스스로 십자가 위에서 "아버지, 저 사람들을 용서하여주십시오" 하는 유언을 함으로써 용서야말로 하느님의 권한임을 분명히 못 박았던 예수는 어째서 인간들에게 '원수를 사랑하여라'고 가르치고 있는 것일까.

과연 인간은 원수를 용서할 수 없는 것일까.

아니다.

그는 순간 머리를 흔들며 전율하였다.

인간은 원수를 용서할 수 있다. 원수가 이미 하느님으로부터 똑같이 비를 맞고 똑같이 햇빛을 받는 용서받는 존재임을 인식하는 바로 그것이 인간의 용서인 것이다. 인간의 용서는 인간이 하느님으로부터 이미 용서받은 존재이자 사랑받는 존재라는 사실을 깨닫고 발견하는 것이다.

인간의 용서는 행위가 아니라 발견(發見)인 것이다. 그 어떤 원수도 이미 하느님으로부터 용서받은 존재임을 발견하는 바로 그 길만이 우리들 인간이 할 수 있는 용서의 시작인 것이다.

그러므로 인간의 용서는 '내가 너를 용서하는 것'이 아니라 '하느님으로부터 이미 용서받은 너를 인정'하는 것이다. 내가 너를 용서한다면 베드로처럼 일곱 번도 용서할 수 없겠지만 그 형제가 이미 하느님으로부터 용서받은 존재임을 인정한다면 우리는 수만 번이라도 형제를 용서할 수 있을 것이다.

그는 십자가 위에서 못 박혀 죽으신 예수의 처참한 형상을 계속 쳐다보면서 생각하였다.

그렇다면 신영철 역시.

그는 머릿속으로 무엇인가 용암처럼 뜨거운 열기가 분출되어 끓어오르는 것을 느꼈다.

하느님으로부터 용서받은 존재인 것이다. 하느님은 신영철을 사랑하고, 신영철에게 똑같은 비를 내려주시고, 똑같은 햇빛을 내리쬐어주신다. 신영철은 내게 있어 원수일지라도 하느님으로부터는 이미 용서받은 자인 것이다. 마찬가지로 예수가 자신을 '십자가에 못 박아라'고 외치는 유다인들과 자신을 십자가에 못 박은 원수들에게 끝까지 침묵하고 십자가 위에서 "아버지, 저 사람들을 용서해주십시오. 그들은 자기가 하고 있는 일을 모르고 있습니다"라고 유언하였던 것은 그들 역시 하느님으로부터 용서받은 존재임을 인식하고 있었기 때문인 것이다.

순간 그의 머리 속으로 끓어오르던 뜨거운 열기가 촉촉한 물기가 되어 그의 두 눈에서 흘러내리기 시작하였다. 그것은 뜨거운 눈물이었다. 눈물이 그의 눈에서 굴러떨어지고 그의 얼굴은 젖어들고 있었다.

이제야 알겠다.

그는 손등으로 흘러내리는 눈물을 닦으며 생각하였다.

어째서 그 많은 성직자들이 수백 킬로미터에 걸친 죽음의 행진을 하면서도 끊임없는 박해와 고통 속에서 털이 깎인 양처럼 죽어가면서도 한마디의 원망도 하지 않고 오히려 자신들을 괴롭히는 원수들을 향해 침묵하고 기도할 수 있는가 하는 이유를 알수 있을 것 같았다. 어째서 베아트릭스 수녀는 자신을 죽이려는 원수들을 향해 기도를 하고 온화하고 평화로운 모습으로 "앞으로 가시오, 사랑하는 수녀님. 앞으로 가시오" 하고 말한 다음 스스로 총살을 당했는지 그 이유도 알 수 있을 것 같았다. 그리고 살인자 '호랑이,' 악마 중의 악마인 그 '호랑이'에 대해서도 어째서 모든 죽어가는 성직자들이 한마디의 원망조차 남기지 않았는지 그 침묵에 관한 비밀을 비로소 알 수 있을 것 같았다.

그 공산주의자들은 그리고 그 잔인한 '호랑이'도 이미 하느님에게는 용서받은 자였던 것이다. 하느님은 그들 역시 자신의 손으로 창조하였으며 여전히 그들을 사랑하고 있는 것이다. 하느님은 여전히 그들이 자신에게 돌아오기를 기다리고 있는 것이다. 마치 집을 나간 탕아를 기다리는 아버지처럼. 성직자들은 그 원수들이 비록 자신을 박해하지만 하느님으로부터는 용서받은 자이며 하느님으로부터 사랑받는 존재임을 누구보다 잘 알고 있었으므로 감히 그들에게 입을 열어 단죄할 수 없었던 것이다.

마리 마들렌 수녀가 장님임에도 불구하고 그 죽음에서 살아남을 수 있었던 것은 이미 그들을 용서하고 있었기 때문이며 용서는 그녀에게 끝까지 희망을 줄 수 있었기 때문이었다. 그들이 하느님으로부터 용서받은 존재임을 인정하고 있었으므로 마리 마들렌 수녀는 그들을 이미 용서하였을 뿐 아니라 역설적으로 그들을 사랑하고 있었던 것이다.

눈물은 계속 그의 두 눈에서 흘러내렸다. 이제는 손등으로 흘러내리는 눈물을 주체할 수 없었으므로 그는 주머니에서 수건을 꺼내 얼굴을 닦았다. 그래도 눈물은 그치지 않았다.

신영철은 이미 하느님으로부터 용서받고 사랑받는 존재라는 사실을 깨닫는 순간 그는 자신도 하느님으로부터 용서받고 사랑받는 존재라는 사실을 새삼스럽게 깨달을 수 있었다. 내가 무엇을 할지라도 내가 어떤 죄를 짓더라도 하느님은 이미 나를 용서하고 계신다. 일곱 번씩 일흔 번이라도 용서하는 것은 내가 아니라 하늘에 계신 하느님 아버지인 것이다. 그러므로 예수가 우리에게 "일곱 번씩 일흔 번이라도 용서하여라"고 말한 것은 '일곱 번씩 일흔 번이라도 용서하는 하느님의 용서를 인정하라'는 뜻인 것이다.

예수는 분명히 말하였다.

적게 용서받은 사람은 적게 사랑하고, 크게 용서받은 사람은 크게 사랑한다고. 그래서 용서와 사랑은 정비례하는 것이라고.

이렇듯 하느님은 용서로써 사랑을 보여주신다. 하느님은 용서 그 자체이며 사랑 그 자체인 것이다. 마찬가지로 하느님은 신영철을 사랑하신다. 신영철뿐 아니라 모든 사람을 사랑하신다. 예수는 신영철을 위해 십자가에 못 박혀 죽기까지 하셨다.

그때였다.

무엇인가 가슴에 맺혀 있던 바윗덩어리와 같은 분노의 감정들이 흘러내리는 눈물로 용해되어 녹아 사라지는 것 같은 느낌을 그는 받았다. 그 바윗덩어리들은 수없이 많은 세월 동안 그의 가슴 속에서 지층을 이루고 시시각각 밀려드는 분노의 강물 속에 침전된 퇴적물들이 쌓여서 마침내 딱딱한 암벽을 이루었던 화석들이었다. 그 화석들이 서서히 무너지고 있었다. 증오와 원망으로 퇴적되었던 암반들이 위에서부터 아래까지 두 조각으로 갈라지면서 땅이 흔들리며 바위가 갈라졌다. 갑자기 큰 지진이 일어나면서 예수의 시체가 묻혔던 동굴의 입구를 가렸던 큰 돌이 단숨에 굴러내리듯 그의 마음 속에 깃들었던 캄캄한 동굴의 입구가 단숨에 열리고 빛이 스며들었다. 그 빛은 너무나 강렬해서 감히 그는 눈을 뜨고 볼 수 없는 눈부신 광명이었다.

할렐루야.

그는 소리를 내어 중얼거렸다. 그는 마음속에 부활하여 나타난 예수의 현존을 느낄 수 있었다. 그는 눈물을 흘리면서 죽음에서 일어난 예수의 부활을 찬양하였다. 그는 부활한 예수가 그의 마음의 문을 뚫고 들어와 마음의 한가운데 서서 다음과 같이 인사하는 모습을 느꼈다.

"너에게 평화가 있기를."

그는 두 눈으로 똑똑히 그분의 손에 있는 못 자국을 볼 수 있었다. 못 자국에서는 여전히 붉은 피가 흘러내리고 있었다. 그는 또한 손가락을 그분 손에 새겨진 못자국 속에 넣어보고 그분의 옆구리에 넣어볼 수가 있었다. 그분의 옆구리에는 아직도 로마 군인이 창으로 찌른 상처와 피와 물이 흘러나왔던 자국이 그대로 남아 있었다. 뿐만 아니라 그의 머리에 썼던 가시관의 모습도 확인할 수 있었다. 그의 이마는 가시에 찔려 붉은 피가 흘러내리고 있었으며, 그의 등 뒤에는 로마 병사들로부터 매질 당하였던 흔적이 생생하게 남아 있었다.

2

부활절 미사는 모든 신자들이 영세 때 서약하였던 성세식을 갱신하고 사제가 새로 축성된 성수를 신자들에게 뿌리는 강복을 하는 것으로 끝이 났다.

성가대들은 다시 헨델의 할렐루야 코러스를 합창하기 시작하였고 모든 미사 집전을 마친 신부는 큰 소리로 다음과 같이 말하였다.

"주님께서 마침내 죽음에서 부활하셨습니다. 할렐루야."

신자들은 뿔뿔이 성당 안을 빠져나가기 시작하였다. 그러나 그는 쉽게 자리에서 일어날 수가 없었다. 미사 도중 쏟아진 눈물이 여전히 그치지 않고 계속 흘러내리고 있었기 때문이었다. 옆자리에 앉은 아내는 그가 눈물을 그칠 때까지 묵묵히 앉아 있었다. 뭔가 끼어들어 방해를 해서는 안 될 것 같은 느낌을 받기라도 한 듯이 아내는 거리를 두고 앉아서 머리 위에 썼던 미사보를 벗어 단정하게 접어 성가책과 함께 정리하고 있었다. 사람들이 거의 빠져나갔을 무렵 아내는 핸드백 속에서 자신의 손수건을 꺼내주면서 그에게 말하였다.

"그만 우세요, 여보."

그의 수건은 이미 눈물로 홍건하게 젖어 있었으므로 아내의 손수건을 대신 받아들었다. 아내의 손수건으로 얼굴을 닦으면서 그는 순간 '베드로의 눈물'을 떠올렸다. 베드로는 한때 자신이 배신하였던 예수를 생각할 때마다 참회의 눈물이 쏟아져나와 늘 품속에 손수건을 넣고 다니면서 흘러내리는 눈물을 닦곤 했었다고 전해지고 있다. 따라서 베드로의 눈가는 항상 흘러내리는 눈물로 짓물러터지고 있었다고 전해지고 있는 것이다.

베드로의 눈물.

성서에는 베드로가 예수를 세 번이나 부인한 뒤 마침내 예수와 정면으로 눈이 마주친 후 슬피 울었다고 베드로의 눈물을 기록하고 있다.

베드로는 새벽을 알리는 닭소리를 듣는 순간 자신의 죄를 깨달았다. 그도 마찬가지였다. 그도 오늘 밤에야 비로소 닭이 우는 소리를 들은 것이었다. 또한 베드로가 그토록 열심히 쫓아다녔으나 예수와 똑바로 눈이 마주친 것은 그것이 처음이었다. 그 또한 마찬가지였다. 그 역시 신앙을 갖고 있었으나 예수의 눈을 바라본 것은 이번이 처음이었다. 십자가에 매달린 처참한 예수의 눈을 그는 보았다. 지금까지 그가 본 것은 예수가 아니라 예수라고 불리는 하나의 우상이었다. 그 우상은 그가 만든 금송아지에 불과하였으며, 그 우상은 그가 만든 신상(神像)에 불과하였다. 그 신상에 그는 예수라는 이름을 붙여주었을 뿐이었다.

점안(點眼).

하나의 불상을 만들고 나서 그 눈에 점을 찍어 눈동자를 만들어야만 그 불상이 완성되듯 그가 만든 예수라는 불상에는 예수의 눈동자가 존재하고 있지 않았던 것이다.

그는 오늘 비로소 예수의 눈과 마주쳤다. 그리고 그의 눈을 보았다. 그 눈이 얼마나 슬퍼하고 있는가를 그는 보았던 것이다.

그때였다.

그는 순간 세 번의 유혹에도 불구하고 비참한 패배를 맛본 후 다음 기회를 노리면서 떠나갔던 악마가 그리스도에게 던진 최후의 유혹이 어쩌면 '무죄한 너를 죽이는 저 어리석은 사람들을 용서할 수 있겠는가'라는 마지막 질문이 아니었을까하는 생각이 들었다. 그것은 악마의 마지막 유혹이자 하느님으로부터 받은 최후의 선택이기도 했을 것이다.

게쎄마니 동산에서 피땀을 흘릴 만큼 번민과 근심에 빠져서 하느님으로부터 마지막으로 받은 잔 속에 들어 있던 피. 그것은 "용서할 수 없는 자들을 용서할 수 있겠느냐"는 하느님의 준엄한 질문이었을 것이다.

그러므로 이상할 정도로 말이 없으셨던 예수가 보인 제3의 침묵과 수백 킬로미터에 걸친 죽음의 행진을 하면서도 자신을 괴롭히는 원수들을 향한 마리 마들렌 수녀의 침묵은 결국 그리스도조차도 인간은 모두 용서받은 존재라는 진리를 선포하는 하느님의 말씀에 순종하기 위함인 것이다.

그러므로 그리스도가 보인 제3의 침묵은 오직 용서를 발견하는 것이야말로 하느님은 곧 사랑이라는 진리를 극명하게 드러내 보이기 위함인 것이다.

성당 밖으로 나왔을 때 뜨락에서는 잔치가 벌어지고 있었다. 뜨락 곳곳에 탁자가 놓이고 그 탁자 위에는 시루떡이 자리 잡고 있었다. 시루떡에서는 뜨거운 김이 모락모락 피어오르고 있었다. 아직 쌀쌀한 날씨였으므로 신자들을 위해 떡과 간단한 과자들을 그리고 뜨거운 차와 커피가 따로 마련되어 있었다. 신자들은 뜨락을 가득 메우고 서서 뜨거운 차를 마시고서 서로 인사를 나누고 있었다.

"부활을 축하합니다."

수녀 한 사람이 뒤늦게 성당을 나서는 그에게 뭔가를 전해주었다. 그는 그것을 받아들었다. 그것은 작은 바구니 속에 들어 있는 달걀이었다. 달걀 위에는 그림물감으로 그려진 형형색색의 그림과 예수 부활이라는 글자가 씌어 있었다.

그는 순간 마음속에 폭죽과 같은 불꽃이 확 터지는 것 같은 기쁨을 느꼈다. 부활 대축일에 나누는 달걀은 새로 태어난 생명과 부활하기 전 예수가 묻혔던 돌무덤을 상징하고 있는 것이다. 달걀은 겉으로 보기에는 죽은 것처럼 보이지만 안에서 생명이 숨 쉬고 있기 때문에 얼어붙은 겨울 뒤에 오는 새 봄, 새 생명을 상징하고 있는 것이다. 마찬가지로 이제 예수의 시체가 묻혔던 돌무덤은 텅 비었다. 그 대신 그 돌무덤은 새로운 자궁이 되어 새 생명을 탄생시키고 있는 것이다. 이것이 바로 부활(復活)인 것이다.

그는 아내와 둘이 성당 계단을 내려왔다.

"떡 좀 드세요."

여신도 한 사람이 그에게 떡이 들어 있는 종이 접시를 내밀면서 말하였다. 또 다른 여인은 그에게 커피가 담긴 종이컵을 내어밀었다. 그러나 그는 자신이 갈 곳을 알고 있었으므로 사람들의 틈을 비집고 들어가 성당 구석구석을 돌아다니기 시작하였다.

마침내 그는 성모 마리아 상 앞에 서 있는 신영철의 모습을 보았다. 그는 본능적으로 그의 모습을 살펴보았다. 어젯밤 그는 그의 옆구리를 목검으로 강타하였었다. 급소를 강타하였던 일격이었으므로 그는 그 자리에서 쓰러졌었다. 그러나 그는 아무런 부상도 입지 않은 온전한 모습이었다. 그 온전한 모습을 보자 그는 우선 마음이 놓였다. 그는 천천히 그의 곁으로 걸어갔다. 신영철은 주위의 신자들과 인사를 나누다 말고 자신을 향해 걸어오는 그를 보았다.

"안녕하십니까."

신영철은 그를 보자 미소를 떠올리면서 악수를 청하였다. 그는 그의 손을 마주 잡았다. 따뜻한 손이었다.

"부활을 축하합니다."

신영철은 그에게 웃으면서 말하였다.

"저도 부활을 축하합니다. 인사하시지요. 이쪽은 제 아내입니다. 여보, 이분은 사목회장님이신 신영철 가브리엘님."

"안녕하세요."

아내가 고개 숙여 인사를 하였다. 신영철은 수줍게 웃으면서 말하였다.

"처음 뵙겠습니다, 사모님. 제 아들 녀석이 Y고등학교에 다니고 있습니다. 아들 녀석을 통해 최선생님이 아주 훌륭하신 선생님이란 말을 전해 듣고 있었습니다. 한번 찾아뵌다 찾아뵌다 하면서도 여의치 못해 차일피일 미루고 있었습니다. 어쨌든 사모님, 부활을 진심으로 축하드립니다."

이번에는 신영철이 자신이 들고 있던 달걀 바구니를 아내에게 내밀었다. 아내가 달걀 바구니를 받아들기를 기다려 그들은 헤어졌다. 바쁘게 사람들 무리를 벗어나 성당 앞 언덕길을 내려가

다가 말고 그는 아내가 든 바구니에서 달걀 하나를 빼어들었다. 그는 달걀 껍질을 벗겼다.

"뭘 하려는 거예요?"

아내가 물었다.

"먹으려고."

그는 달걀 껍질을 벗기면서 대답하였다.

"왜요, 배가 고프세요?"

"아니."

"그럼 뭐가 그리 급하세요."

"부활절 달걀은 두고 보는 게 아니라 먹으라는 달걀이야."

마침내 껍질을 다 벗기고 나서 그는 단숨에 달걀을 한입 베어물었다.

"천천히 드세요. 목이 멜 텐데. 성질도 원, 급하기도 하여라."

아내의 말처럼 목이 멜 정도로 삶은 달걀을 입 안에 한가득 집어넣고 나서 그것을 우물우물 씹으면서 그는 천천히 걷기 시작하였다.

작가 후기

개인적으로 나는 '문학과지성'에 마음의 빚을 지고 있다고 생각하고 있었다.

문단에 데뷔한 이후 나는 초창기 '문학과지성'의 동인 멤버들과 각별한 우정을 맺고 있었다. 그럼에도 불구하고 수많은 기회가 있었지만 이상문학상 수상을 기념하여 출간된 다섯번째 창작집 『위대한 유산』의 출간만을 제외하고는 이상하게도 인연이 닿지 못하고 있었다.

한번 맺은 인연에 대해서는 좀처럼 쉽게 변심(?)하지 않는 내 성격으론 매우 이례적인 일로 따라서 언젠가는 그 마음의 빚을 갚으리라 생각하고 있었는데 이번에 마침 그 기회가 왔다.

내 자의에 의해서 '문학과지성사'에 원고를 넘긴 것은 그런 이유 때문이다.

『영혼의 새벽』은 십여 년 전부터 가지고 있던 소재를 형상화한 것이다. 오래전 나는 우연히 구인덕 신부가 쓴 『나의 북한 포로기』란 작품을 읽고 마음속으로 깊은 감동을 느끼고 있었다. 12명의 신부들이 죽어가는 죽음의 행진을 기록한 이 작품은 프랑스에서 '아카데미 프랑세즈 상'을 받을 정도로 명저 중의 하나인데, 그 비참한 죽음의 행진 속에서도 신앙을 잃지 않고 오히려 십자가의 고통을 깨달아가는 과정을 통해서 나는 위대한 순교 정신을 느낄 수 있었던 것이다.

일단 일이 생기면 연락을 하고 보는 내 성급한 성격으로 나는 즉시 전화를 걸어 여의도에 있는 성심병원의 입원실에서 구신부를 만난 적이 있었다. 그때 구신부는 내 앞에서 먼저 죽어간 성직자들의 이름을 하나씩 하나씩 외웠는데, 그의 얼굴은 이미 이 지상의 얼굴이 아닌 천상의 얼굴이었다.

그로부터 며칠 뒤 나는 구인덕 신부의 선종(善終) 소식을 들었으며, 그런 의미에서 나는 구인덕 신부의 최후를 지켜본 증인 중의 한 사람인 것이다. 그로부터 얼마 안 있어 우연히 수유리에 있는 가르멜 수녀원의 심마리아 수녀로부터 흑백 사진 한 장을 선물 받을 수 있었다.

그것이 바로 구인덕 신부와 더불어 죽음의 행진에서 살아남은 눈먼 마리 마들렌 수녀의 초상이었다.

나는 그 수녀의 사진을 언제나 내 머리맡에 놓고 지냈으며, 그녀가 쓴 또 하나의 수기인 『귀양의 애가』를 읽으며, 언젠가는 우리 민족이 겪었던 비극에 대해서 소설로 쓰고 싶다는 영감을 갖게 되었던 것이다.

『영혼의 새벽』은 그렇게 해서 탄생되었다.

나는 이 소설에서 우리 민족이 가지고 있는 전생으로부터의 업보인 갈등과 증오에 대해서 냉정하게 그려보고 싶었다.

우리 민족은 해방과 더불어 밖으로는 우리 민족과는 전혀 상관이 없는 공산주의와 민주주의, 그 사상 대리전의 소용돌이 한복판에 휩쓸리게 되었으며, 이로써 6백만의 이재민을 낳은 전대미문의 대참사를 겪게 되었다. 또한 안으로는 계층적·지역적 갈등으로 서로를 죽이고 상처를 입히는 이데올로기적 내홍(內訌)을 겪었던 것이다.

수직적인 사상 갈등과 수평적인 이데올로기 갈등으로 솔직히 우리 민족은 안팎으로 갈가리 찢긴 영혼의 불구자가 된 셈이었다.

이 상처 입은 영혼을 치유하는 최선의 방법이 무엇일까 하고 나는 오랫동안 숙고하였다.

기독교의 중요한 교리 중의 하나인 '사랑'과 '용서'의 화두야말로 어쩌면 이 상처 입은 영혼을 치유하고 신이 인간을 창조하였을 때의 잃어버린 낙원(失樂園)으로 돌아가는 유일한 길일지도 모른다고 나는 생각하였다.

그래서 나는 이제는 상처받은 영혼들이 증오와 갈등을 치유하고 '영혼의 새벽'으로 돌아갈 때가 되었으면 좋겠다는 열정으로 이 소설을 썼다.

소설을 끝내고도 2년 간 묵혔던 것은 '용서'의 의미가 단지 입으로만의 구두선(口頭禪)으로 주제와 상관없이 헛돌고만 있지 않을까 하는 노파심 때문이었다. 언젠가는 반드시 남북은 통일이 되어 하나가 될 것임을 나는 확신한다.

용서는 인간이 인간에게 베푸는 물물 교환의 개념이 아니라 인간은 이미 신으로부터 무조건 용서받은 존재임을 발견하는 길이야말로 진정한 용서임을 나는 눈먼 마리 마들렌 수녀에게서 배울 수가 있었다.

마리 마들렌 수녀의 임종을 지켜본 심마리아 수녀의 다음과 같은 말을 나는 잊지 못한다.

"돌아가셨는데 며칠이 지나도록 수녀님의 몸은 굳지 않고 살아 있는 사람 그대로 따뜻하고 윤기가 흐르고 있었지요. 그 몸에서는 이 지상에서는 맡을 수 없는 향기까지 나고 있었답니다."

마리 마들렌 수녀의 무덤은 수녀원 뒤뜰에 묻혀 있을 것이다.

전쟁은 이미 끝났으나 평화는 아직 오지 않았다. 광복은 왔으나 해방은 아직 이루어지지 않았다. 나는 안팎으로 상처 입은 우리 민족에게 진정한 평화와 해방의 강물이 넘쳐흐르기를 진심으로 소망한다. 이제야말로 그러할 때가 되었으며, 우리 민족에게는 '영혼의 새벽'이 주는 그 평화와 해방을 누릴 수 있는 특권이 있다고 생각하고 있다.

2002년 여름

해인당에서 최인호

* 본문에 나오는 마리 마들렌 수녀의 이야기는 『귀양의 애가』(가르멜 수녀원 발행)에서 인용하였음을 밝힌다. 1950년대 글이므로, 지금의 외래어 표기와 맞춤법에 맞게 부분적으로 수정하였다.

작가 연보

1945년 10월 17일 서울에서 아버지 최태원(崔兌源)과 어머니
         손복녀(孫福女)의 3남 3녀 중 차남으로 출생.

1951년 1월 6·25 전쟁으로 인해 부산으로 피난.

1952년 3월 피난 국민학교 입학.

1953년 서울로 돌아와 영희국민학교에 전학.

1961년 서울고등학교 입학.

1963년 고등학교 2학년 때 단편 「벽구멍으로」가 한국일보 신
         춘문예에 입선.

1964년 연세대학교 문리대 영문과 입학.

1967년 단편 「견습환자」가 조선일보 신춘문예에 당선. 11월
         에는 단편 「2와 1/2」로 『사상계』 신인문학상을 수상.

1970년 11월 황정숙과 결혼.

1972년 장편 『별들의 고향』을 조선일보에 연재. 「타인의 방」
         「처세술 개론」으로 현대문학상 신인상을 수상. 연세
         대 영문과 졸업. 딸 다혜 출생. 장편 『내 마음의 풍차』
         를 중앙일보에 연재하고 또 『바보들의 행진』을 일간
         스포츠에 연재. 작품집 『별들의 고향』(전2권) 및 『타

인의 방』을 간행.

1974년 희곡 「가위 바위 보」를 산울림 극단에서 공연. 작품집 『바보들의 행진』 『맨발의 세계일주』 『영가』 간행. 세계 13개국을 순방. 아들 성재(도단) 출생.

1975년 『샘터』에 「가족」 연재 시작. 작품집 『구르는 돌』 『우리들의 시대』(전2권), 『내 마음의 풍차』 간행. 영화 「걷지 말고 뛰어라」 감독.

1976년 장편 『도시의 사냥꾼』을 중앙일보에 연재.

1977년 장편 『파란 꽃』을 서울신문에 연재. 작품집 『도시의 사냥꾼』(전2권), 『개미의 탑』 『청춘은 왕』 간행.

1978년 장편 『천국의 계단』을 국제신보에, 『지구인』을 『문학사상』에, 『사랑의 조건』을 『주부생활』에 각각 연재. 작품집 『돌의 초상』 『작은 사랑의 이야기』 및 산문집 『누가 천재를 죽였나』 간행.

1979년 장편 『불새』를 조선일보에 연재. 작품집 『사랑의 조건』 『천재의 계단』(전2권) 간행.

1980년 작품집 『지구인』(전2권), 『불새』 간행.

1981년 장편 『적도의 꽃』을 중앙일보에 연재. 작품집 『안녕하세요 하나님』 간행.

1982년 장편 『고래사냥』을 『엘레강스』에, 『물 위의 사막』을 『여성중앙』에 연재. 『깊고 푸른 밤』으로 제6회 이상문학상 수상. 작품집 『적도의 꽃』 『위대한 유산』 간행.

1983년 작품집『물 위의 사막』『가면무도회』간행. 장편『밤
의 침묵』을 부산일보에 연재.

1984년 장편『겨울 나그네』동아일보에 연재. 소설로 쓴 자서
전『가족 1』간행.

1985년 장편『잃어버린 왕국』조선일보에 연재. 작품집『밤의
침묵』간행.

1986년 장편『잃어버린 왕국』, 수필집『모르는 사람에게 보내
는 편지』간행. 영화「깊고 푸른 밤」으로 아시아영화
제 각본상 수상, 대종상 각본상 수상.

1987년 작품집『저 혼자 깊어가는 강』, 소설로 쓴 자서전『가
족 2』간행. 가톨릭에 귀의(영세명 베드로).

1988년 「잃어버린 왕국」다큐멘터리 5부작 KBS 방영.

1989년 수필집『잠들기 전에 가야 할 먼 길』간행. 장편『길
없는 길』중앙일보에 연재.

1991년 장편『왕도의 비밀』조선일보에 연재. 수필집『사람들
사이에 섬이 있다』간행.

1992년 동화집『발명왕 도단이』간행. 『샘터』에 연재 중인
「가족」의 200회 기념으로『가족 1 신혼 일기』『가족 2
견습 부부』『가족 3 보통 가족』『가족 4 좋은 이웃』『가
족 5 인간 가족』간행. 영화「천국의 계단」시나리오
집필. 시나리오 선집 3권 발간.

1993년 『길 없는 길』(전4권) 간행.

1994년 교통사고로 16주간 치료. 장편『허수아비』간행.

1995년 장편『왕도의 비밀』(전3권), 성서 묵상집『너는 나를 누구라고 생각하느냐』간행. 한국일보에『사랑의 기쁨』연재 시작.

1996년 수필집『사랑아 나는 통곡한다』간행. 다큐멘터리 6부작「왕도의 비밀」SBS에서 방영.

1997년 장편『사랑의 기쁨』(전2권) 간행.『상도(商道)』를 한국일보에 연재. 가톨릭대 국문학과 겸임교수.

1998년 장편『사랑의 기쁨』과 작품집『지상에서 가장 큰 방』으로 제1회 가톨릭문학상 수상.

1999년 가톨릭신문에『영혼의 새벽』연재 시작. 산문집『나는 아직도 스님이 되고 싶다』간행.

2000년 묵상집『날카로운 첫 키스의 추억』간행. 시나리오「몽유도원도」집필.『상도』(전5권) 간행.

2001년 창작집『달콤한 인생』간행. 다큐소설『해신(海神)』중앙일보에 연재 중.

2002년 『최인호 중단편 소설전집』(전5권) 간행.『가족 6 나의 사랑 클레멘타인』『가족 7 어디서 무엇이 되어 다시 만나랴』간행.『상도』300만 부 돌파.